看護コミュニケーション

基礎から学ぶスキルとトレーニング

第2版

篠崎惠美子
人間環境大学看護学部 教授

藤井 徹也
豊橋創造大学保健医療学部 教授

医学書院

篠崎恵美子（しのざき　えみこ）

人間環境大学看護学部・大学院看護学研究科　教授。学部長・研究科長。名古屋大学大学院医学系研究科看護学専攻博士後期課程修了。名古屋大学医学部附属病院に勤務。聖隷クリストファー大学准教授，2015年人間環境大学教授，2018年より現職。専門は基礎看護学。名古屋大学医学部附属病院総合診療部において模擬患者研究会の代表兼養成者を務め，聖隷クリストファー大学SP研究会，人間環境大学SP研究会で代表兼養成を務める。著書に『事例から学ぶ地域・在宅看護論　訪問時のお作法から実習のポイントまで』(医学書院)などがある。

藤井徹也（ふじい　てつや）

豊橋創造大学保健医療学部　教授。藤田保健衛生大学大学院医学研究科修了。藤田保健衛生大学第一教育病院救命救急センター，愛知県立看護大学，名古屋大学，聖隷クリストファー大学に勤務。2017年より現職。専門は基礎看護学。主に看護技術，フィジカルアセスメントに焦点をあてた研究を行っている。現在は訪問看護師のフィジカルアセスメント能力向上に関して研究を進めている。著書に『看護学生スタートブック』『系統看護学講座　看護情報学』(共に医学書院)などがある。

看護コミュニケーション
——基礎から学ぶスキルとトレーニング

発　行	2015年 1月15日　第1版第1刷
	2021年 2月15日　第1版第6刷
	2022年 1月15日　第2版第1刷©
	2023年 4月15日　第2版第3刷

執　筆　篠崎恵美子・藤井徹也

発行者　株式会社　医学書院
　　　　代表取締役　金原　俊
　　　　〒113-8719　東京都文京区本郷 1-28-23
　　　　電話　03-3817-5600(社内案内)

組　版　ビーコム

印刷・製本　三報社印刷

本書の複製権・翻訳権・上映権・譲渡権・貸与権・公衆送信権(送信可能化権を含む)は株式会社医学書院が保有します。

ISBN978-4-260-04793-7

本書を無断で複製する行為(複写，スキャン，デジタルデータ化など)は，「私的使用のための複製」など著作権法上の限られた例外を除き禁じられています．大学，病院，診療所，企業などにおいて，業務上使用する目的(診療，研究活動を含む)で上記の行為を行うことは，その使用範囲が内部的であっても，私的使用には該当せず，違法です．また私的使用に該当する場合であっても，代行業者等の第三者に依頼して上記の行為を行うことは違法となります．

JCOPY 〈出版者著作権管理機構　委託出版物〉

本書の無断複製は著作権法上での例外を除き禁じられています．複製される場合は，そのつど事前に，出版者著作権管理機構(電話 03-5244-5088，FAX 03-5244-5089，info@jcopy.or.jp)の許諾を得てください．

はじめに

　2007(平成19)年の厚生労働省「看護基礎教育の充実に関する検討会報告書」においてコミュニケーション能力の強化が求められて，10年以上が経過しています。そして，2019年「看護基礎教育検討会報告書」(厚生労働省)においてもコミュニケーション強化に関して示されています。コミュニケーション技術は，看護教育において学習者が修得しなければならない重要な技術であることは誰もが承知していることです。しかし看護基礎教育においては，コミュニケーション技術の何を学び，何を教えれば良いかについては，コンセンサスが得られているとは言い難い現状があります。

　看護師に求められるコミュニケーションは，看護の対象となる人や家族をケアするためには必須であり，また同時にヘルスケアチームの一員として，看護師間や他職種との連携においても必要不可欠です。知識だけではなく実践できる技術として修得することが望まれます。

　そこで本書では，看護師に必要なコミュニケーションの知識と実践能力を修得するため，以下の3部で構成いたしました。

　第1部「コミュニケーション論」では，看護を学ぶ初学者を対象に，コミュニケーションの基本的技術を解説しました。

　第2部「看護におけるコミュニケーション」では，「看護の専門家として対人関係を築くために必要なコミュニケーション技法」として，看護の場面で必要となる関係構築の技法 Interpersonal communication skill を，例をあげながら解説しました。その後，「看護の対象を生物心理社会モデルでとらえることができる看護面接技法」として，13のSTEPからなる看護面接のプロセスに沿って説明しています。ここでは，演習に使用できるシナリオ，振り返りについても盛り込みました。

　第3部「高度なコミュニケーション」では，実際の看護の現場で遭遇することが予測されるコミュニケーション困難な状況での対応方法を解説するほか，多職種連携時のコミュニケーションの実際についても取り上げ，実習など臨床の場面をイメージできるようにしました。さらに，新型コロナウイルス感染症の状況にも対応できるよう，マスク着用やソーシャルディスタンス下のコミュニケーションも示しました。

また，本書では筆者なりに以下の点に配慮しました．

- 科学的根拠に基づいて説明する
- 一貫性がある
- 理解しやすい
- 学修(教育)が可能となるように，学修目標や確認テストを示す
- トレーニング方法やトレーニング用のシナリオを提示する
- 具体的に例示して説明する
- さらに学修を発展することができるように参考論文や書籍を提示する

本書が看護学生や新人看護師にとって，コミュニケーションを基礎から学ぶためのガイドとして役立つことを願っています．

最後に，本書をまとめるにあたり，企画から完成までご尽力いただいた医学書院の近江友香氏，第2版で丁寧にご対応いただきました竹内亜祐子氏，北原拓也氏に心より感謝いたします．

2021年11月

著者　篠崎惠美子・藤井徹也

目次

- はじめに　iii
- 本書の活用方法について　viii

序章　なぜ看護師はコミュニケーションを学ぶのか　1
1. 医療者のコミュニケーションが注目される背景　1
2. 医療者のコミュニケーション　3
3. 看護におけるコミュニケーションが必要な場面　7
- 確認テスト　10

第1部　コミュニケーション論　11

第1章　コミュニケーションとは何か　12
1. コミュニケーションとは　12
2. コミュニケーションの構成要素と成立過程　14
3. コミュニケーションの特徴　15
- 確認テスト　19

第2章　コミュニケーションの種類　20
1. 言語的コミュニケーション　21
2. 非言語的コミュニケーション　22
3. 言語的コミュニケーションと非言語的コミュニケーション　26
- 確認テスト　28

第3章　コミュニケーションに影響するもの　29
1. コミュニケーションにおける4つの交流　29
2. コミュニケーションに影響する要因　29
3. マスク着用時のコミュニケーション　35
4. 良好なコミュニケーションに必要なこと　36
- 確認テスト　38

第 2 部 看護におけるコミュニケーション　39

第 4 章 医療(看護)におけるコミュニケーション　40
1. 看護におけるコミュニケーションとは　40
2. 患者中心の看護面接　43
- 確認テスト　49

第 5 章 良好なコミュニケーションに必要な技法—質問技法—　50
1. コミュニケーションの場面を設定する(環境を整える)　50
2. 聴くための技法：質問技法　52
- 確認テスト　58

第 6 章 積極的傾聴と共感　59
1. 積極的傾聴とは　59
2. 共感とは　60
3. 積極的な傾聴と共感　63
4. 看護学生にとっての共感とは　64
- 確認テスト　66

第 7 章 良好なコミュニケーションに必要な技法—関係構築の技法—　67
1. なぜ関係構築の技法が必要なのか　67
2. 感情探索の技法　69
3. 表出された感情に対応する技法　71
4. 良好なコミュニケーションには促進の技法を統合して活用する　73
- 確認テスト　75

第 8 章 看護面接のプロセスの 13 STEP　76
1. 患者中心の面接　76
2. 医療者中心の面接への移行　82
3. 統合された看護面接　86
- 確認テスト　88

第 9 章 看護面接のトレーニング　89
1. コミュニケーションスキルトレーニングの方法　89
2. コミュニケーション評価の視点　93
3. 模擬患者とのトレーニング　94
- 確認テスト　97
- ロールプレイ用シナリオ　98

第3部 高度なコミュニケーション　109

第10章 高度なコミュニケーション―臨地実習で遭遇する事例をもとに―　110
1. 臨地実習で看護学生が遭遇するコミュニケーション困難な状況　110
2. 臨地実習で看護学生が遭遇するコミュニケーション強化が必要な状況　114
- 確認テスト　118

第11章 多職種連携とコミュニケーション　119
1. 医療における多職種間のコミュニケーション　119
2. 看護師間でのコミュニケーション　121
3. 医師とのコミュニケーション　121
4. 医療者間でのコミュニケーション　122
5. アサーティブなかかわり　122
- 確認テスト　125

第12章 患者家族とのコミュニケーション　126
1. 患者と家族の関係　126
2. 患者の家族とのコミュニケーション　128
- 確認テスト　131

第13章 新たな時代のコミュニケーション　132
1. ディスプレイを介したコミュニケーション　132
2. 1対1以外のコミュニケーション　134
- 確認テスト　136

- 確認テスト　解答　137
- 索引　141

本書の活用方法について

　本書は初学者である看護学生へ，看護師としてのコミュニケーションの基本的技術を解説しています。具体的には，15回の講義を想定して構成しています。

　序章から第2部までを講義で学修し，第3部についてはその後の実習などで活用できるように，高度なコミュニケーションを解説しています。本書はそれぞれの学習時期（学習者のレディネス）や，単位数，開講数に応じてアレンジすることも可能です。さらに，臨地実習先においても各章の事例内容を振り返ることで，実習でのコミュニケーションに活用できます。

　以下に『看護コミュニケーション』の活用例をお示しいたします。

活用例 1

- 単位数：2単位15回または1単位15回の場合
- 学習時期：患者さんとコミュニケーションをとる基礎看護学実習前
- 授業の進め方：1回目〜7回目は，序章から第6章の内容
　　　　　　　　8回目は，第9章の学生間でのロールプレイ
　　　　　　　　9・10回目は，第7章，第8章の内容
　　　　　　　　11〜15回目は，模擬患者との演習および振り返り

＊第3部については臨地実習において活用

活用例 2

- 単位数：1単位8回
- 学習時期：患者さんとのコミュニケーションを経験する基礎看護学実習終了後から臨地実習前
- 学習内容：1回目〜8回目は，序章から第8章の内容

＊ロールプレイや模擬患者との演習などは基礎看護技術の演習などの実施時に第9章を活用

序章 なぜ看護師はコミュニケーションを学ぶのか

学修目標
- □ 医療者のコミュニケーションが注目される背景を述べることができる
- □ 医療者のコミュニケーションと一般のコミュニケーションの違いがわかる
- □ コミュニケーショントレーニングの必要性がわかる
- □ 看護におけるコミュニケーション場面を述べることができる

1 医療者のコミュニケーションが注目される背景

　　　　　　皆さんはコミュニケーションをどのように考えますか？　たとえば，友人などとの「言葉のキャッチボール」などが思い浮かぶのではないでしょうか。

　　　　　　医療の現場では，コミュニケーションの対象が，患者さんやその家族，またその人たちをとりまく人々となります。当然のことながら，一般的なコミュニケーションとは違った知識やスキル，一定のルールが必要となります。

あなたなら何と答えますか？

　　　　　　あなたが近い将来看護師になったと仮定しましょう。本日入院してきた患者さんに入院についての話をうかがいに訪室したところ，患者さんより「死ぬために入院しました」と告げられました。あなたなら何と答えますか。

＊　＊　＊

　　　　　　場面の状況をもう少し説明しましょう。

　　　　　　あなたは A 病棟に勤務する看護師です。夜勤をしているときに，1人の患者さんが緊急入院してきました。

　　　　　　患者さんは，60 歳代前半の男性でした。頬はこけ，手足はやせ細っていました。腹部には腹水が溜まっているようで，大きく張っていました。患者さんは自身で動くことはできず，ストレッチャーで搬送されて入院しました。あなたがその患者さんの病室へ訪室すると，患者さんと

その家族がひっそりといました。患者さんは天井を見つめています。あなたが声をかけると，あなたの顔をしっかりとみて，質問に小さな声で受け答えをしました。あなたが，入院時にどの患者さんにも確認することになっている入院の目的を尋ねると，その患者さんは静かに「死ぬために入院しました」としっかりとした口調で答えたのです。

「死ぬために入院しました……」　　「（言葉が出ない）」

◆ 患者さんの発言に，あなたなら何と答えますか？ ◆

　上記の場面で，あなたがその看護師であったら，その患者さんの回答にどのように声をかけますか。また，どのように対応しますか。
　「そんなことを言わないでくださいよ」「大丈夫ですよ」と声をかけますか？
　それとも困ってしまって無言になってしまいますか。

　このような状況は，私たちの日常生活では遭遇しないことかもしれません。しかし，医療の現場においては，この状況によく似た場面に遭遇することがあります。看護師として患者さんに接する場合はもちろんのこと，臨地実習中にもあります。また患者さんと良い関係が築けることで，その受け持ち患者さんから，「もう死にたい」「私はもう治らない，

もう長くは生きることができない……」などの言葉を聞くことがしばしばあります。そんなときに，どのように回答すればよいのでしょうか。

これまでの人生を振り返ってみてください。今まで生きてきた過程で，私たちはいろいろな場面でまわりの人とコミュニケーションをとってきました。直接的な会話や，最近では電子メールや，LINEのようなインスタントメッセンジャーなどといったソーシャルネットワークサービス（social network service：SNS）を通してコミュニケーションをとっているかもしれません。しかし，今までのコミュニケーションをとる方法で，先ほどの患者さんに対応ができるでしょうか？

当然のことながら，適切なコミュニケーションをとることができなければ，患者さんとの良い関係には結びつきません。それどころか，看護の内容（実践）にも影響します。

つまり，医療の現場で専門家として，どのような患者さんにもより良い看護を提供するためには，看護師としてのコミュニケーションスキルが必要となってきます。さらに，コミュニケーションスキルの知識だけでなく，トレーニングし修得することは，どのような状況，どのような患者さんにも対応できるようになるために必要なことです。

2 医療者のコミュニケーション

1) 医療者のコミュニケーションが注目される社会的背景

医療者のコミュニケーションが注目されるようになってきた背景には，次のようなことがあります。1990年代後半より人口の高齢化に伴う疾病構造の変化，診断・治療方法の多様化・高度化が進み，限られた医療資源の効率的な活用が求められてきました。2003年には医療提供体制の改革ビジョンの提示や，個人情報保護法が成立しました。これらは，国民が医療に対して，エビデンスに基づく医療，患者さんの求めに応じた情報提供，入念な医療安全対策，患者さんの視点を尊重した医療，医療機関の機能分化などを求めた結果でもあります。また，株式会社UFJ総合研究所「生活と健康リスクに関する意識調査」（厚生労働省委託，2004年）において，患者さんが医療機関や医療者に不安を感じるのは「医療者と十分なコミュニケーションがとれないとき」が60.1％（複数回答あり）で最多という結果が出ました（厚生労働省，p125，2004）。つまり，国民は医療者のコミュニケーションに不安・不満を感じているという結果が示されたのです。

同時期には，頻発する医療事故・医療訴訟の増加も社会問題化し，国

民の医療に対する信頼が低下するという状況がありました。

また，新型コロナウイルス感染症の拡大により，感染リスクを抑えながらコミュニケーションを行う必要性も増大しています。

◀ 医療者のコミュニケーションに，患者さんは不安を感じている ▶

これらのことから，社会が医療者に求めている専門職としての知識・技術などは，ますます高度になり，期待される内容も広がってきています。この期待される内容に対応するためには，医療者としてコミュニケーションスキルの強化が必要となります。

2）医療者のコミュニケーションの特徴

医療者のコミュニケーションは，一般社会の中で行われるコミュニケーションとは以下の点で違いがあります。

まず**医療が人間の「生命」に直接かかわっている**という点です。ほとんどの人にとって「生命」に対する価値観は最も重要な価値です。人にはさまざまな価値観が存在しますが，「生命」は自己や他者の存在の一番根本になるものです。医療現場では，「誕生」の瞬間や，「生と死」の狭間，「死」の瞬間など，一般社会では非日常的な場面に遭遇することがあります。希望，絶望，苦痛，苦難，悲しみなどを経験する場でもあります。したがって，そのかかわり合いというのは，患者さんや家族にとって，

きわめて個人的で，プライバシーにかかわります。さまざまな人のさまざまな状況下で「生命」に直接かかわる医療を提供するときには，患者さんや家族が直面している状況にあわせたコミュニケーションが必要となります。つまり，医療でのコミュニケーションは，一般社会の中で行われるコミュニケーションとは異なります。

　次に，**医療現場では，患者さんは感情的に負の状況にある**という点です。負の状態とは，怒り，悲しみ，苦しみ，不安，恐怖，絶望，怨み，不満といった感情が心の中に湧き起こっている状態のことです。つまり，患者さんは非日常的な医療現場で不安や恐れを抱えています。一方，私たち医療者にとっては，医療現場は日常の場です。コミュニケーションは，患者さんと医療者の双方で形成されるものですから，一方が日常で，その一方が非日常の場であるということは，コミュニケーションをとるうえで，私たち医療者が十分に認識しておくべきことでしょう。

患者さんは感情的に負の状況にある

　3つ目は，**医療は人が直接触れあう，人中心の現場である**という点です。トラベルビーが『人間対人間の看護』(1971/1974)で述べているように，医療現場では，医療者は直接的または間接的に人々と関係をもって

います。同時に患者さんも医療者も人間ですから，感情をもっているため，無感情ではいられません。特に患者さんは何らかの医療を必要としていますので，先に述べたように負の状態にあり，そのことが感情へ影響することがあります。看護師はこのことを常に考え，コミュニケーションをとることが必要です。

以上のことから医療現場では，一般とは違ったコミュニケーションが必要となります。

皆さんが医療機関へ受診したときのことを思い出してください。医療者が質問し，患者さんが答えるというやりとりが多いことや，医療者は患者さんへ質問して，患者さんの話を聴いてその人の苦悩などを理解しようとしていること，また時と場合によっては，プライベートな事柄にも医療者の質問が許されていることなどの経験があるでしょう。医療者が患者さんから得る情報の多くはきわめて個人的な情報であり，万が一その情報が漏えいした場合，直接的に患者さんやその家族の社会的な評価などにかかわる恐れのある情報もあります。したがって，個人情報保護法などで，個人情報取扱事業者の義務として守秘義務の徹底が求められています。このように，一般のコミュニケーションとは違う一定のルールが医療現場にはあります。

3）どのように医療コミュニケーションを学ぶのか

医療者教育において，コミュニケーションの重要性は誰もが学び，十分に認識しています。しかし，医療者が従来受けてきたコミュニケーションに関する教育は，知識レベルの学習がほとんどでした。「コミュニケーションは知識だけでは修得できない。講義だけでなく，練習をしなければならない」とルターらは報告しています（Rutter & Maguire, 1976）。つまり正しい内容を正しい方法で学ばなければ，スキルの修得はできないのです。知識だけではなく，トレーニングを行い，実践しながら学ぶ必要があるのです。

コミュニケーションのトレーニングに関しては，「どんなトレーニングであっても，しないよりはしたほうが良い」（Maguireら，1986；Sansonら，1981）という報告もあります。また，「短期集中的なトレーニングより，長期的・継続的なトレーニングが有効である」（Van Dalenら，2001）という報告もあります。したがって，社会が求めるコミュニケーションスキルを修得するためには，コミュニケーションを正しく学び，継続してトレーニングをしていくことが必要なのです。

患者さんにとって医療という非日常の現場において，人間対人間として医療を提供するためには，一般的なコミュニケーションスキルではなく，医療者としての専門的なコミュニケーションスキルを修得する必要

があるのです。「コミュニケーションとは，付け足しではない，それは患者ケアの要である」(Audit, 1993) という言葉があるように，患者さんとの専門的なコミュニケーションは，患者さんへのより良いケアのために必要不可欠なものなのです。それは，冒頭で示した「死ぬために入院しました」という患者さんにも，逃げることなくしっかりとコミュニケーションがとれるスキルを修得するということです。

3 看護におけるコミュニケーションが必要な場面

看護においてコミュニケーションが必要な場面とはどのような場面でしょうか。

たとえば，外来や病棟などで初めて患者さんと出会う場面や，入院した患者さんに対して，より良い看護を提供するために情報を収集する場面があります。いかに患者さんの話を聴くことができるかが，患者さん中心の看護を提供するための鍵になります。情報収集では，患者さんにとって最良の看護，患者さんが求める看護を提供するために，必要な情報を集めます。集めた情報をいかして，「看護過程◆nursing process」などにより患者さんを看護します。つまり，情報収集がうまくいくかいかないかで，後々の看護に大きな影響を与えます。

そして，患者さんに必要な看護を提供する場面，提供した看護の評価でもコミュニケーションをとることが必要となります。まず患者さんにケアを提供するとき，①ケアについて説明し，了解や必要性の理解の確認の場面，②ケア提供中に患者さんの状態を把握するためのコミュニケーション，③実施後に患者さんの状態を把握するためのコミュニケーションなど，看護場面においてさまざまなコミュニケーションが行われています。

また，看護は1人の看護師のみで実施するのではなく，看護師と看護師，看護師と医師，看護師と薬剤師，看護師と栄養士などさまざまな職種とも協働することも必須です。患者さん中心の医療を提供するために，多職種連携◆をする場面でも専門的なコミュニケーションが求められます。

◆word **看護過程**

看護過程とは，「患者の健康上の問題を見きわめ，その解決についての考えを計画，実行し，結果を評価しながらよりよい問題解決を図るという一連の意図的な活動を示すもの」(看護大事典, 2010) です。

看護過程という言葉は1960年代の北米で紹介されました (Yura & Walsh, 1967)。患者さんの健康上の問題を見極めるために，患者さんに関する情報を収集・整理・分析する必要があります。分析した内容から，看護活動を計画・実行し，その結果を評価するために，あらためて情報を収集・整理・分析していく過程です。つまり，看護過程は看護に必要な情報を処理していく過程ともいえるのです (藤井, 篠崎, 2021)。

◆word **多職種連携**

多職種連携とは，1人の患者を中心に，多様な専門職者が複数でチームを形成し，相互に連携しながら，おのおのが専門職としての役割を発揮することです (藤井, 篠崎, 2021)。

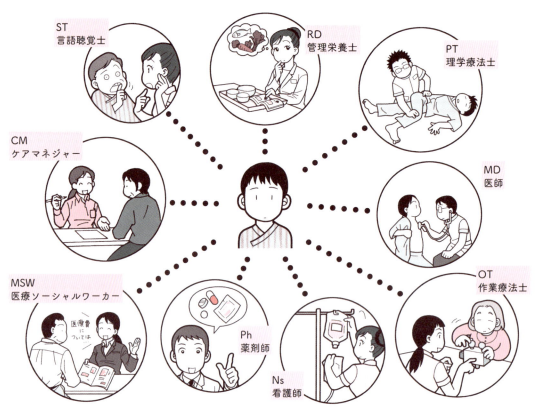

略称*	名称	主な働き
Ns	看護師 （Nurse）	傷病者や褥婦へ療養上の世話や診療の補助業務を行います
MD	医師 （Physician, Medical Doctor）	医療（治療）および保健指導を行います
Ph	薬剤師 （Pharmacist, Chemist）	薬の調剤や服薬指導などを行います
PT	理学療法士 （Physical Therapist）	身体的に障がいがある者が基本的動作能力を回復するために，運動や電気刺激，温熱などの物理療法を行います
OT	作業療法士 （Occupational Therapist）	身体障がい者や精神障がい者へ応用動作能力（手芸や日常生活に関する訓練など），社会的適応能力（住環境適応訓練など）の訓練を行います
ST	言語聴覚士 （Speech-Language-Hearing Therapist）**	音声機能，言語機能または聴覚に障がいのある者に対して，その機能の維持向上のための訓練や検査などを行います
RD	管理栄養士 （Registered Dietitian）	傷病者に対する療養のため，必要な栄養の指導などを行います
MSW	医療ソーシャルワーカー （Medical Social Worker）	対象者の経済的問題の解決調整や入退院支援などの援助を行います
CM	介護支援専門員：ケアマネジャー （Care Manager）	介護サービス計画（ケアプラン）の作成やサービス事業者と調整などを行います

＊本書の略称は，一般化されているものと著者が便宜上用いたものがあります．
＊＊日本言語聴覚士協会の正式名称

◀ 多職種連携 ▶

引用文献

- Audit Commission. (1993). What seems to be the matter:communication between hospitals and patients. National Health service Report, No.12, HMSO, London.
- 藤井徹也,篠崎惠美子. (2021). 看護過程. 中山和弘,瀬戸山陽子,藤井徹也ほか,系統看護学講座 別巻 看護情報学. p90,医学書院.
- 藤井徹也,篠崎惠美子. (2021). 多職種連携. 中山和弘,瀬戸山陽子,藤井徹也ほか,系統看護学講座 別巻 看護情報学. p98,医学書院.
- 厚生労働省. (2004). 平成16年版厚生労働白書. p125.
- Maguire P, Fairbaim S, Fletcher C. (1986). Consultation skills of young doctors:I-Benefits of feedback training in interviewing as students persist. British Medical Journal, 292(6535), 1573-1576.
- Rutter DR, Maguire GP. (1976). History-taking for medical students, Ⅱ-Evaluation of a training programme. Lancet, 2(7985), 558-560.
- Sanson FR, Fairbaim S, Maguire P. (1981). Teaching skills in communication to medical students:a critical review of the methodology. Medical Education, 15(1), 33-37.
- Travelbee J./長谷川浩,藤枝知子(訳). (1971/1974). Interpersonal Aspect of Nursing, Edition 2. F. A. Davis Company, Philadelphia./人間対人間の看護,医学書院.
- Van Dalen J, Bartholomeus P, Kerkhors E, et al. (2001). Teaching and assessing communication skills in Maastricht:the first twenty years. Medical Teacher, 23(3), 245-251.
- 和田攻,南裕子,小峰光博(総編集). (2010). 看護大事典. 第2版. p591,医学書院.
- Yura H, Walsh MB(eds). (1967). The Nursing Process:Assessing, Planning, Implementing, Evaluating. The Catholic University of America Press.

序章 確認テスト

1. 医療者のコミュニケーションが注目されるようになった背景を簡単に述べなさい。

2. 医療におけるコミュニケーションが一般のコミュニケーションと違う点を3つ列挙しましょう。

3. 看護におけるコミュニケーションの場面を4つ列挙しましょう。

解答 ▶ 137頁

第1部

コミュニケーション論

第1章 コミュニケーションとは何か

学修目標
- ☐ コミュニケーションとは何かを述べることができる
- ☐ コミュニケーションの構成要素を列挙できる
- ☐ コミュニケーションの成立過程を述べることができる
- ☐ コミュニケーションの特徴を述べることができる

1 コミュニケーションとは

「コミュニケーションとは？」と質問されたら，何と答えますか。序章でも同じ質問を投げかけましたが，同じように答えますか？

コミュニケーションという言葉は，「愛」「ストレス」など普遍的な言葉と同様，誰もが知っている言葉ではあります。しかし，複雑で多面的なプロセスであり，多義的であるため，何かと尋ねられると困ってしまうとても漠然とした言葉のように感じます。

コミュニケーションについては1940年代からさまざまな定義がなされてきました。コミュニケーションはラテン語の「communis」もしくは「common」が語源とされています。「共有の」「共通の」「一般の」「公共の」という意味をもちます。もともとは「ある所(の生物や無生物)から別の場所(の生物や無生物)へエネルギー，物体，生物，情報などが移動し，その移動を通じて移動の両端に，ある種の共通性，等質性が生じること」を意味していました。通常は，「人(送り手)から人(受け手)へ情報の移動」，もしくはその情報の移動の結果生じた「心のふれあい」「共通理解」「共同関係」などを指すことが多いものです。

看護大事典(2010)には，コミュニケーションとは「個人と個人，個人と集団の間での感情や思考などを，言葉・身ぶり・文字などを介して伝達すること，または伝達しあうことや，その行為」と記述されています。人が互いに何かを共有しようという行為一般を示し，単なる伝達方法・情報交換手段ではなく，伝える者と，伝えられる者との「わかってほしい」「わかりたい」という関係があることが示されています。このほかに

も，多くの理論家がコミュニケーションを定義しています。その一部を次に示します。

トラベルビーは「看護者が人間対人間の関係を確立し，看護の目的を実現させるプロセスである」(Travelbee, 1971/1974)と述べています。また，スチュアートらは「2人以上の間でメッセージが送られ，受け取られるという双方向の過程である。コミュニケーションは，治療的関係の構築を促しもするし，障害を作り出してしまうこともある」と述べています(Stuart & Laraia, 2013)。ノースハウスらは「一連の共通ルール(共通の言語)に従い，情報を分かち合うプロセス」と定義しています(Northouse & Northouse, 1985)。

以上のことより，コミュニケーションとは，**伝える側と伝えられる側のインタラクティブ(双方向)なプロセス**であるといえましょう。

コミュニケーションとは，インタラクティブなプロセスである

> **Column　コミュニケーションの定義とモデル**
>
> 1940年代より研究者たちによってコミュニケーションの定義がなされました。
> 1951年には言語学者のジョージ・ミラーによって，コミュニケーションは「情報の伝達」と定義されています。この頃の定義に共通しているのは，送り手と受け手の間での「情報の移動」を伴うということです。さらに，コミュニケーションが行われるときには，一連の共通ルール(共通言語)があり，それに基づいて意味の共有があるということが言われています。
> その後，コミュニケーションの複雑なプロセスを説明するためにさまざまなコミュニケーションモデルが作られました。以下に代表的なモデルを示します。
> ① Shannon Weavor モデル：情報を伝達する過程に還元するモデル
> 「発信地(メッセージを生成する情報発信者)」と「目的地(メッセージが到達する情報受信者)」という2つの情報システムが「チャンネル(信号の伝達路にのせる)」で連結されており，ここを通じて前者から搬送される「信号(メッセージがエンコードされる)」が後者に効果を生むプロセスをコミュニケーション過程と説明している
> ② SMCR(Berlo)モデル：Shannon Weavor モデルのメッセージと信号の区別をなくして単純化したモデル
> 「発信者(情報源：S)」⇨「メッセージ(M)」⇨「チャンネル(C)」⇨「受信者(R)」
> ③ Leary モデル：コミュニケーションは当事者双方が互いに影響しあうプロセスであると説明したモデル

2 コミュニケーションの構成要素と成立過程

1）コミュニケーションの構成要素

　コミュニケーションは，伝える側と受け取る側の間で一連の共通ルールに基づいた意味の共有ということになりますから，コミュニケーションを構成する要素には，次の5つがあります。

① 情報を発信する者 sender：メッセージを生成し，それを伝える側（送り手）
② 情報を受信する者 receiver：メッセージを伝えられる側（受け手）
③ 内容 contents：メッセージ，伝えたい内容
④ チャンネル channel（メディア media）：メッセージを伝達する手段
⑤ 文脈 contexts：メッセージを伝達する場面，状況や背景など

　皆さんがご承知のとおり，コミュニケーションをとるときには，伝えたい内容を発信する者（伝える側，送り手）と，それを受け取る者（伝えられる側，受け手）が存在します。そして2者間には，情報発信者の伝えたい内容，メッセージがあり，その内容，メッセージを伝達する手段（チャンネル）が存在します。

　チャンネル（メディア）というのは，言葉（会話，歌），絵，図表など，どんな様式を用いて表現するのかということと，直接的会話，電話での会話，電子メール，ソーシャルネットワークサービスなど，どんな媒体を使って伝えるのかということを意味しています。また，文脈とは，そのコミュニケーションが行われる場面や状況などで，広くは社会情勢なども含まれます。

2）コミュニケーションの成立過程

　「あの人には話が通じない」「あの人とは会話が成立しない」という言葉を耳にしたことがありませんか？　「話が通じない」「会話が成立しない」と言われた人とは，何らかの理由で言葉が聞こえず会話ができなかったということではありません。多くの場合は，メッセージの受け手には，メッセージを伝える側の言葉は聞こえたはずです。つまり，伝える側が本当に伝えたかったメッセージの内容が，受け手に伝わらなかった場合，「話が通じない」「会話が成立しない」ということになっていくのです。

◀ コミュニケーションは言葉のキャッチボール ▶

　コミュニケーションが成立するためには，コミュニケーションを構成する5つの要素のほかに，受け手の受け取ったメッセージの意味の解釈と，その解釈を伝える側にフィードバックするという過程が必要となります。先に述べたように，コミュニケーションは**伝える側と伝えられる側のインタラクティブ（双方向）なプロセス**です。したがって，情報発信者（伝える側）が伝えたい内容を，何らかのチャンネル（メディア）を介して，メッセージとして発信し，それを情報受信者（伝えられる側）が受け取る。情報受信者は，受け取った内容の意味を解釈し，どのように受け取ったのかを情報発信者にフィードバックする。以上のプロセスがコミュニケーション成立の過程なのです。

　ですから，情報発信者のメッセージを情報受信者が受け取ったとしても，その意味の解釈をフィードバックしなければ，それはコミュニケーションが成立したとはいえません。言い換えると，コミュニケーションは双方向のやりとりであって，一方向のコミュニケーションはありえないのです。「コミュニケーションは言葉のキャッチボール」といわれるのは納得できますね。

3　コミュニケーションの特徴

　コミュニケーションの特徴としては以下の3つがあげられます。
　① **コミュニケーションは過程（プロセス）である**
　② **コミュニケーションはインタラクティブ（双方向）の交流である**
　③ **コミュニケーションは多面的である**

まず,「①コミュニケーションは過程(プロセス)である」という点を説明します。コミュニケーションの成立過程でお伝えしたように,コミュニケーションは伝える側と伝えられる側のインタラクティブ(双方向)なプロセスです。2者間でのコミュニケーションは,一方向の一連の現象ではなく,絶えず変化し続けるもので,2者でつくるプロセスであるという特徴があります。

次に,「②コミュニケーションはインタラクティブ(双方向)の交流である」という点ですが,情報発信者(伝える側)と情報受信者(伝えられる側)の両者がコミュニケーションによって影響しあうということを意味します。情報発信者が伝えたい内容をメッセージとして情報受信者は受け取ります。情報受信者は受け取った意味の解釈をフィードバックするときには,その内容を発信する者となり,フィードバックを受け取る者が,情報受信者となるのです。お互いのかかわり方がコミュニケーションには多く影響することがおわかりでしょう。

「③コミュニケーションは多面的である」という点については,コミュニケーションは「何を聴いて何を伝えるのか」という内容面と,情報発信者と情報受信者相互のかかわり方という人間関係に関する側面があります。この人間関係に関する側面は,相手に関する感情や,関係性,相手に対する態度などが含まれています。内容面については人間関係に関する側面が大きく影響します。

たとえば,「この本を読んだほうがいいよ」と1冊の書籍を勧められたとしましょう。あなたが普段から良い関係だと思っている友人から勧められた場合,「私のことを思って勧めてくれたのね」と有益な提案と受け取るでしょう。しかし,あまり良い関係ではない人から勧められた場合,「どうして私にこの本を勧めるのかしら？ 何か意味があるのかしら？」と同じ書籍を勧められても,感じ方が違うのではないでしょうか。

このようにコミュニケーションで伝えられるメッセージは,情報発信者との関係や,また受信者の今までの経験,教育背景などの状況によって,どのように解釈されるのかが異なります。

想像してみてください

次の文章を読んで,その状況を想像してみてください。

1. Aさんの家族は「自分のいないときに,音楽を流しておきたい」と看護師に希望を伝えました。すると看護師は「いいんじゃないですか,家族の方の希望なら」と答えました。
2. Aさんが事故により,外からの刺激に対して何も反応をしなくなり,自ら何らかの意思表示ができない状態になりました。Aさんの家族は「自分のいないときに,音楽を流しておきたい」と看護師に希

望を伝えました。すると看護師は「いいんじゃないですか、家族の方の希望なら」と答えました。

3. Aさんが事故により、外からの刺激に対して何も反応をしなくなり、自ら何らかの意思表示ができない状態になりました。Aさんの家族は、一生懸命にAさんに話しかけます。手足をマッサージし、リハビリをしながら声をかけています。何らかの刺激を与えるためです。そして家族は思いつきました。「**自分のいないときに音楽を流しておこう**」と。Aさんは音楽の先生だったので、いつも音楽を流していたのでした。それをAさんの痰の吸引にきた看護師に伝えました。すると看護師は「いいんじゃないですか、家族の方の希望なら」と答えました。それは、そんなことをしても無意味だといわんばかりでした。

意識のない患者への刺激になるかも。
音楽を流しておいてもかまいませんか？

いいんじゃないですか？

▎ **看護師と患者家族とのやりとり** ▎

いかがですか？ 1～3の状況において、事実は患者さんの家族が「自分のいないときに音楽を流しておきたい」と希望したことに対して、看護師が「いいんじゃないですか、家族の方の希望なら」と答えたことだけです。しかし、その事実に対して、過程（事実の前後関係や文脈）やおかれている状況、人間関係が加わると、メッセージの解釈が変わることが理解できますね。

引用文献

- Northouse PG, Northouse LL.(1985). Health Communication：A Handbook for Health Professionals. p3, Prentice-Hall, Englewood Cliffs, New Jersey.
- Stuart GW, Laraia MT.(2013). Principles and Practice of Psychiatric Nursing 10th ed. Elsevier/Mosby.
- Travelbee J./長谷川浩，藤枝知子(訳). (1971/1974). Interpersonal Aspect of Nursing, Edition 2. F. A. Davis Company, Philadelphia./人間対人間の看護. 医学書院.
- 和田攻，南裕子，小峰光博(総編集). (2010). 看護大事典，第2版. p1128, 医学書院.

第1章 確認テスト

1. コミュニケーションの定義を1つ記述しましょう。

2. コミュニケーションの構成要素5つを列挙しましょう。

3. コミュニケーションの成立過程を説明してください。

4. コミュニケーションの特徴を3つ述べましょう。

解答 ▶ 137頁

第2章 コミュニケーションの種類

学修目標

- [ ] コミュニケーションの種類について述べることができる
- [ ] 言語的コミュニケーションと非言語的コミュニケーションの違いを説明できる
- [ ] 言語的コミュニケーションの内容を説明できる
- [ ] 非言語的コミュニケーションの種類を述べることができる
- [ ] 言語的コミュニケーションと非言語的コミュニケーションの相補性について述べることができる
- [ ] 感情は非言語的コミュニケーションに表れやすいことがイメージできる

　コミュニケーションの種類は，意思疎通に関与する人数で種類分けをして，以下のように答える場合があります。

　1対1の2者間，もしくは3者での「対人コミュニケーション」，数人での「小集団コミュニケーション」，講義や講演のような「1対多数のコミュニケーション」，職場や学校といった「組織内コミュニケーション」，テレビやラジオなどの機器を使用して大規模に行う「マスコミュニケーション」といった種類があげられます。

1対1
（2者，もしくは3者）

1対多数

メディアを介した
マスコミュニケーション

コミュニケーションの種類

　このほかにも，意思疎通の対象によって分類することもできます。自分以外の人との「対人コミュニケーション」と自分自身との「セルフコ

ミュニケーション」です。コミュニケーションといわれるものは，その多くが対人コミュニケーションを指していますが，自分自身の感情と向きあうセルフコミュニケーションも重要となってきています。

セルフコミュニケーション

　また，コミュニケーションの目的や手段でも，分類することができます。たとえば，手段では，大きく2つの種類に分けられます。1つは，「言葉による言語的コミュニケーション verbal communication」，もう1つは「言葉以外のものによる非言語的コミュニケーション non-verbal communication」です。

　この章では，言語的コミュニケーションと非言語的コミュニケーションについて述べていきます。

1　言語的コミュニケーション

　言語的コミュニケーションとは，話し言葉，書き言葉や手話といった言葉を伝達手段としたメッセージのやりとりをいいます。人工呼吸器を装着中であったり，気管切開をしていたり，何らかの理由により言葉を発声することができない場合，文字盤を使用しての会話も言語的コミュニケーションに含まれます。

　言葉による言語的コミュニケーションでは，メッセージの送り手と受け手の間で共通する言語をもっていることが前提となります。たとえば日本語を話すことができない患者さんとの言語的コミュニケーションで

は，2者間で共通する言語がありません。このような場合，たとえ通訳を介して言語的コミュニケーションをとったとしても，言葉の壁が障害となることが多くあります。特に医療現場では，この言葉の壁が問題となります（Trill & Holland, 1993）。

2 非言語的コミュニケーション

　非言語的コミュニケーションとは，言語的コミュニケーション以外の方法，つまり文字以外の伝達手段を用いたメッセージのやりとりの総称です。

　チャップリンの映画を見たことがありますか？　無声映画ですので，言葉は使用されていませんが，内容をなんとなく理解することができます。また，日本語以外の言葉で会話をしている場面を思い出してください。会話の内容・意味はわからなくても，怒っているのか，喜んでいるのかは理解できるのではないでしょうか。

　皆さんは，「目は口ほどにものを言う」「目がものを言う」などの言葉を耳にしたことがあるでしょう。目は，口で話すのと同じように，コミュニケーションの相手に気持ちを伝えることを意味します。たとえば，待ち合わせ時間に1時間遅刻したとき，友人は「大丈夫，いいよ」と許しの言葉を述べてくれても，目が（表情が）怒っているという経験をしたことはないでしょうか？　人間の感情は，言葉ではごまかすことができても，目には表れてしまうので，ごまかすことができないのです。

　非言語的コミュニケーションの概念については，ダーウィン◆の『人及び動物の表情について』(1872)がきっかけといわれています。ダーウィンはさまざまな種類の動物や人間の表情について，感情と結びつけて説明しました。この文献がきっかけとなり，その後多くの心理学者によって研究がなされました。

　現在では，非言語的コミュニケーションはあらゆるコミュニケーションにおいて重要な位置づけで，注目されるようになりました。

1) 非言語的コミュニケーションの種類

　非言語的コミュニケーションは以下の7つの種類に分類されます（Knappら，1972）。

① 身体的特徴（体型，毛髪など）
② 身体伝達行動（顔の表情，視線，姿勢，ジェスチャー，手足の動きなど）

◆word　ダーウィン

　チャールズ・ロバート・ダーウィンは英国の自然科学者です。進化論の創始者として『種の起原』(Darwin, 1859/2009)を著作しています。
　ダーウィンはこの進化論を提唱しながら，さまざまな種類の動物や人間の表情について，観察しています。『人及び動物の表情について』は表情の研究としても貴重な文献とされています。この書の中で，ダーウィンは「人間と動物の感情はどのように表現されるのか」と「感情はどこからくるのか」について述べています。

③接触行動（握る，なでる，叩くなど）
④近接空間（空間，距離など）
⑤物品（服装，髪型，化粧，持ち物など）
⑥環境要素（場所，家具，装飾品，照明や光，温度，壁の色など）
⑦パラランゲージ・副言語〔声のトーン，高さ，速さ，リズム，抑揚，音声の特徴，笑い声，泣き声，沈黙（間），時間の使い方など〕

上記の中で，ジェスチャー◆，服装，化粧など文化によって異なるものもありますが，喜び，恐れ，悲しみ，怒りといった感情を表す表情などのように，文化普遍的なものもあります。

たとえば，「ありがとう」という言葉について，高い声で，にっこり笑って「ありがとう」と言われたときと，低い声で，うつむき加減で「ありがとう」と言われた場合，同じように感じるでしょうか？　前者の場合，「あ〜，良かった。感謝してもらえた」と感じるでしょうし，後者の場合は，「何か気に障ることがあったのか？　何がいけなかったのか？」と素直に感謝されたとは感じないのではないでしょうか？

◆word　ジェスチャーと文化

非言語的コミュニケーションで最も文化の差が大きいのはジェスチャーです。

たとえば，「親指と人指し指で輪をつくる」場合，欧米など広い範囲で「OK」を意味します。また，性的なイメージを連想させることもあります。日本では，OKのほかに「お金」を示すこともあります。フランス，スペイン，ベルギーでは「0（ゼロ）」，地中海地域では「○（丸）」，チュニジアでは「脅し」を意味しています。また手のひらが下を向いているときは，命令を示します。

コミュニケーションをとるときには，文化的な背景が鍵となります。

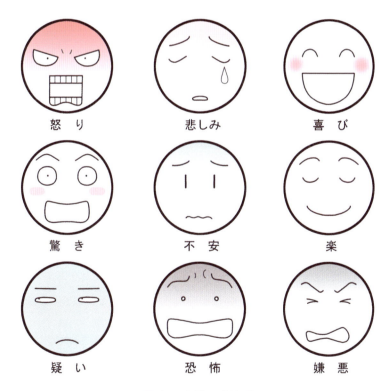

◀ 顔の表情と感情 ▶

2）非言語的コミュニケーションの機能（役割）

　非言語的コミュニケーションは，コミュニケーションの過程において，効果的に情報を共有する機能を果たしています。時には意図的に使用され，時には無意識に使用されています。

　具体的な非言語的コミュニケーションの機能としては，(1)基本的感情の表現，(2)会話の調整，(3)言語メッセージの補強・否定，(4)自分自身のイメージの確立，(5)コミュニケーション当事者間の関係の提示などがあります。

(1) 基本的感情の表現

　人間の基本的感情（喜び，怒り，悲しみ，恐怖など）を，前述した7つの種類によって表現します。たとえば，授業中に退屈なときに，ペンまわしをしたり，髪をしきりに触れたりしていませんか？　不安なときには，声が高くなったり，話すスピードが速くなったりしませんか？　このように基本的感情が表現されます。

(2) 会話の調整

　コミュニケーション時の流れ，つまり会話の調整をします。たとえば，相手が話す速度を遅くして，語尾を伸ばしながら，目をじっと見たら，話すことを求められていると察知するでしょう。また会話の最中に時計を見ることで，「もうそろそろ終わる時間かな」というメッセージを示すことになり，会話は終了する方向へ流れます。

(3) 言語メッセージの補強・否定

　言葉で伝えられたメッセージについて，相手の表情を確認することで，伝えられたメッセージの意味を補強したり，意味を変えて，否定したりすることができます。もし，どの映画を見るか友人と相談中に，あなたが勧めた映画に対し，友人があなたの目を見ることなく，小さな声で「いいよ」と答えたら，声が小さいことからあなたは「本当にいいの？ほかの映画にする？」と尋ねるでしょう。

(4) 自分自身のイメージの確立

　人は自分が維持したい自己イメージをもっているとされます。そして，言語以外のメッセージを使って，他者に自分のイメージの一部を示しているといわれています。たとえば，皆さんの服装や髪型を考えてみてください。自分の確立しているイメージ，確立したいイメージを現したいと考えていると思います。

(5) コミュニケーションの当事者間の関係の提示

　非言語的メッセージを通して，私たちは地位，自分のおかれている立場，愛情など関係的なメッセージが伝えられます。たとえば，皆さんの家庭での食卓を思い浮かべてください。その家の家長と呼ばれる人の座る場所はなんとなく決まっていませんか？　上座という言葉がありますが，座る位置によってメンバーの自分のおかれている立場が示されることがあります。

◀ 自分の服装や髪型で表現する ▶

　以上のように，非言語的コミュニケーションにはいくつかの機能がありますが，1つで機能することもあれば，複数が組み合わさって機能することもあります。

3 言語的コミュニケーションと非言語的コミュニケーション

1）言語的コミュニケーションと非言語的コミュニケーションの相補性

メラビアンは1970年代初頭にメラビアンの法則を報告しました（Mehrabian, 1981）。「7-38-55のルール（7%-38%-55% Rule）」ともいいます。それによると，話し手が聴き手に与える印象の大きさは「**言語情報：7%，聴覚情報：38%，視覚情報：55%**」の割合だとされます。

言語情報とは「言葉で表現される話の内容」，聴覚情報とは「声の質感・話す速さ・声の大きさ・口調」，視覚情報とは「外見・表情・態度・ジェスチャー」などを意味しますが，視線，ファッションや清潔感なども重要な視覚情報となります。この法則では**非言語的コミュニケーションが有効である**ことを示しています。また同時に，言語的コミュニケーションと非言語的コミュニケーションは密接に結びついており，お互いに**補う関係（相補性）**にあることも示されています。

言語的コミュニケーションのメッセージを正確かつ効果的に伝達するためには，伝えたい内容にふさわしい非言語的コミュニケーションがとても重要であるということです。言語的コミュニケーションで伝えたいメッセージの内容が重要であればあるほど，非言語的コミュニケーションも重要になります。逆に言語的メッセージで伝える内容が，あまり重要でなければ，非言語的メッセージはさほど重要にはなりません。

したがって，医療現場においては，患者さんの話した言葉だけにとらわれるのではなく，言語的コミュニケーションをとりながら，同時に非言語的コミュニケーションにも着目することが重要です。また，患者さんとの会話の際には，皆さんの表現，態度やジェスチャーが患者さんに伝えたい内容に反映されることも考えておきましょう。

2）感情は非言語的コミュニケーションに表れやすい

バードウィステルは，2者間の対話では，言葉によって伝えられるメッセージは全体の35%にすぎず，残りの65%は，話しぶり，動作，ジェスチャー，間の取り方など言葉以外の手段によって伝えられると報告しています（Birdwhistell, 1970）。この報告は，ある特定の状況で実験した結果の報告ではありますが，非言語的コミュニケーションの重要性を示しています。

◀ 身ぶり，手ぶりなど，言葉以外からも情報は発信されている ▶

参考図書

表情分析入門—表情に隠された意味をさぐる
　非言語的コミュニケーションを深く学びたい人にお勧めします。"Lie to me"というテレビドラマのモデルとなった，パウル・エクマンの研究結果に基づいた本です。パウル・エクマンは表情研究の第一人者であり，本書では，顔の表情から感情を読み取るための詳細なサインを詳述しています。

- 工藤力(編訳)．(1987)．表情分析入門—表情に隠された意味をさぐる．誠信書房／原書は Ekman P, Friesen WV.(1975)．Unmasking the Face. Prentice-Hall, Englewood Cliffs, New Jersey.

引用文献

- Birdwhistell RL. (1970). Kinesics and Context：Essays on Body Motion Communication. pp156-158, University of Pennsylvania Press.
- Darwin C./浜中浜太郎(訳)．(1872/1931). The Expression of the Emotions in Man and Animals. Murray, London./人及び動物の表情について．岩波書店．
- Darwin C./堀 伸夫，堀 大才(訳)．(1859/2009). On the Origin of Species by Means of Natural Selection, or the Preservation of Favoured Races in the Struggle for Life, 1st ed. Murray, London./種の起原．朝倉書店．
- Knapp ML, Hall JA, Horgan TG./牧野成一，牧野泰子(訳)．(1972/1979). Nonverbal Communication in Human Interaction. Holt, Reinhart & Winston, New York./人間関係における非言語情報伝達．pp5-11，東海大学出版会．
- Mehrabian A./西田司，津田幸男，岡村輝人ほか(共訳)．(1981/1986). Silent Messages：Implicit Communication of Emotions and Attitudes, 2nd ed. Wadsworth, CA./非言語コミュニケーション，pp93-116，聖文社．
- Trill MD, Holland J. (1993). Cross-cultural differences in the care of patients with cancer. A review. General Hospital Psychiatry, 15(1), 21-30.

第2章 確認テスト

言語的コミュニケーションと非言語的コミュニケーションの区別をしなさい。

① 服装・・・・・・・・・・・・・（　　　）コミュニケーション
② 書き言葉・・・・・・・・・・・（　　　）コミュニケーション
③ 視線・・・・・・・・・・・・・（　　　）コミュニケーション
④ 話し言葉・・・・・・・・・・・（　　　）コミュニケーション
⑤ 身体の動き・・・・・・・・・・（　　　）コミュニケーション
⑥ 文字盤を使用してのメッセージ・（　　　）コミュニケーション
⑦ 声のリズム・・・・・・・・・・（　　　）コミュニケーション
⑧ 手の動き・・・・・・・・・・・（　　　）コミュニケーション
⑨ 壁の色・・・・・・・・・・・・（　　　）コミュニケーション
⑩ 手話・・・・・・・・・・・・・（　　　）コミュニケーション

解答 ▶ 137頁

第3章 コミュニケーションに影響するもの

> **学修目標**
> - □ コミュニケーションにおける4つの交流を述べることができる
> - □ コミュニケーションの影響要因を述べることができる
> - □ 良好なコミュニケーションに必要なことを説明することができる

1 コミュニケーションにおける4つの交流

　コミュニケーション時には以下の4つの交流がなされます。**事実の交流，感情の交流，理解の交流，関係の交流**です。

　第1章でも説明しましたが，コミュニケーションは伝える側と伝えられる側とのインタラクティブなやりとりです。伝える側には伝えたい内容をメッセージとして伝達します。そこには，メッセージという**事実の交流**がなされます。そして，その伝達手段が言語的コミュニケーションであっても，伝える側は無意識のうちに非言語コミュニケーションも実施しています。そこには何らかの**感情の交流**が生じます。伝えられる側はメッセージを受け取り，意味の理解をします。そして，受け取ったメッセージを伝える側にフィードバックをしますので，その過程において**理解の交流**がなされます。

　また伝える側と伝えられる側においては，友人同士，もしくは学生と教員といった何らかの関係性があります。さらに，非言語的メッセージには，コミュニケーションの当事者間の関係の提示という役割があるので(第2章)，**関係の交流**もなされるということになります。

2 コミュニケーションに影響する要因

　コミュニケーションに影響する要因としては，1)環境要因，2)人的要因，3)機能障害，4)位置と距離があります。

1）環境要因

環境は非言語的コミュニケーションの1つです（第2章参照）。環境要因には，部屋の広さ，室温，家具の配置，壁の色，におい，音，明るさなどがあります。医療の現場において，特に重病患者や虚弱者，精神障がい者に大きな影響を及ぼすとされています。ナップらは，環境要因として，堅苦しさ，拘束，空間，プライバシー，親しさ，温かさの6つがあることを明らかにしています。つまり「形式にとらわれず，拘束されず，私的で，親しく，近く，温かい環境」が必要だと述べています（Knappら，1978）。

したがって，私たちは「話を聴く準備として環境を整える」ことが重要です。具体的には以下のように行うと良いでしょう。

(1) 相手の安らぎとプライバシーに配慮する

コミュニケーションをとるときには，堅苦しくなく，親しさを感じることができる環境，つまり相手が安らぎを感じることができる環境を確保することが必要です。

- 部屋の選択（話の内容，相手に合わせた空間を選択する。壁の色，家具の配置などからも検討する）
- 温度，照明の色，部屋の明るさの調整
- 椅子の配置，座り心地の確認
- プライバシー（内容によっては，第三者に聞こえない場所）の確保（たとえば，患者さんから情報を得るときに，病室ではカーテンを引いたり，面接室に移動する）

(2) コミュニケーションの障壁を除去する

相手の声が十分に聞こえ，自分の口の動きも相手に見えるように，配慮する必要があります。また，良いコミュニケーションがとれていても，途中で携帯電話がなったり，時間が十分でないと，話が中断されてしまいます。

- テレビの電源を切る
- 携帯電話やPHS（personal handy-phone system；パーソナルハンディホン）などで話が中断しないように，電源を切る
- 他者の話し声や笑い声，その他の音（足音，モニター音など）を可能な限り除く
- 相手への時間の確認
- 十分な話ができる時間の確保

たとえば，患者さんが高齢者である場合，問いかけをゆっくりはっきり伝えます。回答もゆっくり話してもらえる時間が必要です。

> **Column　ある新人看護師の話**
>
> 　ある緩和ケア病棟で実際にあったことです．新人看護師Aさんは入職したばかりで，先輩看護師についてケアをしていました．患者Bさんの病室でバイタルサインの計測のために訪問したときのことです．Aさんが血圧測定を終えるとBさんが小さな声で「明日ホスピス病棟へ行くの」と言いました．Aさんはその言葉を聴き，患者さんのベッドの横に椅子を運び，そこに座りました．そのとき，先輩看護師のPHSがなりました．同時に新人看護師AさんのPHSもなりました．AさんはPHSの電源をそっとオフにしました．しかし，Bさんは話すことをやめ，何事もなかったかのようにテレビをつけました．
> 　先輩看護師のPHSでの会話が終了したとき，新人看護師Aさんは先輩に「Bさんが，『明日ホスピス病棟へ行くの』とお話しされました」と伝えました．すると，先輩看護師は「あ，そう」と言っただけでした．残念なことにその後Bさんとの会話は中断したままでした．
> 　あなたは，このエピソードから何を感じますか？　筆者はそのときの新人看護師Aさんの対応はすばらしいと感じました．

2）人的要因

　コミュニケーションは伝える側と伝えられる側のメッセージのやりとりですので，人と人との間でのやりとりということになります．したがって，以下のことがコミュニケーションには影響します．

- 自分自身がもつ個人的な問題（心配事，疲労感）
- 感情（好意と嫌悪，善悪など）
- 価値観
- 先入観
- 対人的魅力（外見，清潔感，相手を尊重した態度など）

　たとえば，あなたが看護師として病院に勤務している状況をイメージしてください．

　たまたま自宅で家族ともめ事があった状態で出勤しました．病院で患者さんから，相談事があると言われました．自分自身に心配事があったり，ほかのことに気が向いていたり，疲労感があった場合，コミュニケーションはうまくいかないことが多いでしょう．

　また，あなたの今日の受け持ち患者さんについて，昨日先輩から「あの人いつも何かしらの文句を言う人なのよ」とこっそり伝えられたら，あなたの態度はほかの患者さんと同じでしょうか？

　「人はみかけによる」「見た目で決まる」という言葉があります．よくその話をすると，「みかけで判断されるのは悲しい」といわれますが，よく考えてみてください．もし，あなたが，汚い白衣を着た，ロックスターのような髪型や，耳や唇にピアスをした医療者に「少しお話を聴かせてください」と言われたら，どのように感じ，どのようにコミュニケーションをとりますか？　個人差があるとは思いますが，普段のコミュニケーションと同じとはいかないのではないでしょうか．

また見た目はふつうであるのに、初対面にもかかわらず、自己紹介もなく、言葉づかいも横柄であったら、やはり良いコミュニケーションはとれないでしょう。

個人の問題や感情を完全になくすということは不可能です。また先入観についても、完全に排除することは難しいでしょう。しかし、私たちは自分の限界を知って、「私は先入観がある」ということを意識することで、先入観の影響を最小限にすることはできます。このように私たちは、コミュニケーションをとるときに、人的要因も影響することを十分に認識する必要があります。

身だしなみはコミュニケーションに影響する

> **Column** 男子学生の髪型
>
> みなさんの学校でも，本章で紹介しているような女子学生の髪型についての決まりが明確にあると思います。一方で，男子学生については，詳細な決まりはないのではないでしょうか。しかし，髪型についても男女差はなく，清潔感のある状態にする必要があります。
>
> 一般的には，施設見学や面接を受けるときの髪型が良いとされます。具体的な内容を示します。
> 1. 髪の長さは，前髪は眉毛，横髪は耳，後髪は襟にかからないようにする。
> 2. もみあげは伸ばさない。
> 3. 左右非対称（アシンメトリー）や強めのパーマなどは避ける。
> 4. 常にきれいにして（ふけがない状況にする），整える。
> 5. ワックスなどは，においがあるものは避ける。においは，患者さんの治療や状態へ影響を与える場合がある。
>   くれぐれも，子どもから高齢者まで，すべての対象者に不快を与えないように心がけます。
>
> 事例）前髪をピンで両わきにまとめていた男子学生が，患者さんから「似合わないね〜！ なんで，そこまでして伸ばしているの？」と指摘を受けたことがありました。

3) 機能障害

機能障害には，聴覚障害，言語障害，視覚障害，発達障害，認知障害などがあります。

高齢者などに多いのは，軽度の聴覚障害です。いわゆる難聴といわれる場合，会話の最中に高齢者がタイミングよく返事を返してきても，実はメッセージが伝わっていなかったということがあります。コミュニケーションはメッセージを伝えられた側が，内容を解釈し，フィードバックすることで成立します。したがって，伝える側が一方的にメッセージを伝えただけでは，コミュニケーションとはいえません。コミュニケーション時の相手の機能障害の部位と程度を十分に把握し考慮したうえで，コミュニケーションをとることが重要です。

4) 位置と距離

コミュニケーション時の相手に対する位置と距離は重要です。環境要因で説明しましたが，「形式にとらわれず，拘束されず，私的で，親しく，近く，温かい環境」が話を聴く環境として整えることが重要でした。親しく，近いというのは，どのような位置・距離なのでしょうか。ホールは，「人間同士の相互作用において，人は空間や距離を使い分ける傾向がある」とし，関係の度合いによって4つに分類しました（Hall, 1966/1980）。

- 公衆距離（演説や講演を聴くときの距離）：360 cm 以上
- 社会距離（オフィスなど仕事の場における距離）：120〜360 cm
- 個体距離（私的な間合い）：45〜120 cm
- 密接距離（親密な関係の相手との距離）：0〜45 cm

新型コロナウイルス感染症拡大により，会話時に一定の距離を保つ必要性が求められましたが，医療現場においては十分な感染対策を行いながら，密接距離をとる必要があります。

密接距離というのは，実際に相手に接触する距離や，相手の体温，におい，呼吸などを感じることができる距離です。したがって，医療の現場で，患者さんとのコミュニケーションをとるときには，手を伸ばしたらすぐに患者さんに触れることができる距離である密接距離が良いとされます。密接距離をとることで，医療者側の威圧感を軽減し，対等である関係や親しみを非言語的コミュニケーションで伝えることができます。

位置については，親密な関係は横並び，関係性が低い場合は対面をとります。しかし，対面は視線を合わせやすいのですが，緊張感があります。

コミュニケーションの状況にもよりますが，円滑に進めるためには，90°〜120°の角度で座ることが良いとされます。この位置は，両者がリラックスできますし，共通のものを見ることもできます◆。

患者さんとの会話時の看護師の位置は重要となります。

◆word 座席行動
　一定の空間位置をもった座席を選択したり利用したりする行動を座席行動といいます。北川（2012）は，人が着席する位置には，パーソナリティや成績などの心理的特質と関係していると述べています。

90°〜120°
話すときの角度は90°〜120°が適切

◀ 会話の際の椅子の角度 ▶

3 マスク着用時のコミュニケーション

非言語的メッセージ制限時の留意点

　医療者は，インフルエンザや新型コロナウイルス感染症対策のために，マスクを着用したコミュニケーションが必要になります。コミュニケーションに影響するものとして，前述したように相手に対する位置と距離や，看護師の外見，対象者の機能障害などがあります。そして，それらの障壁を除去することが必要です。感染対策として十分な距離をとろうとすると，相手にあわせたコミュニケーションがしやすい距離がとりにくくなります。またフェイスシールドやマスク着用が必要な状況では，通常のコミュニケーション時と比べて非言語的メッセージが制限されています。

　マスク着用時のコミュニケーションについては，以下のような研究結果が報告されています。

- 「相手の話す声がききとりにくい」ことや，「相手の表情が読み取りにくい」「自分の感情が伝わりにくい」ため，相手の表情を誤認知することが多い（田辺，西沢，2009）
- 人の識別や表情認知が困難で，口の動きが分からないために想像で受け応えしている（堀ら，2000）
- 音声が小さくなるだけではなく，口の動き・表情が読み取りにくく，視覚的な非言語的コミュニケーションが遮断されている（藤原ら，2006）
- ケアなどほかの動作を伴う際にマスク着用した看護師の音声は，高音域で聞こえにくい可能性がある（北島ら，2012）

　マスクを着用してコミュニケーションをとるときには，相手が聞き取りやすくするために，以下の点に留意しましょう。

- 話す言葉を通常より少し大きめに，また明瞭に発音する（佐藤ら，2014）
- 抑揚をつけ，話す速度を遅くする（佐藤ら，2014）
- 話す言葉の「間（間隔）」も意識する（佐藤ら，2014）
- 語尾まで意識して発音する
- 普段よりも低めの声で話す
- ケアをしながら声をかけるときは，特にマスクを着用していることを意識する
- 相手がどのようにメッセージを受け取ったのかを必ず確認する
- 相手によっては筆談なども活用する

さらに、「相手の表情が読み取りにくい」「こちらの感情が伝わりにくい」といった非言語的メッセージの制限に対しては、以下の点に留意すると良いでしょう。

- うなずきやあいづちなどを増やす
- 声を大きくするだけでなく、身ぶり・手ぶりなどリアクションも少し多くする
- 目の表情を意識する
- アイコンタクトを活用する

つまり、非言語的メッセージの制限への対応のポイントは「目」ということになります。

アイコンタクトについては、じっと見つめられるのが苦手な人もいますので、アイコンタクトは2～3秒が良いでしょう。具体的には、話す言葉の「間（間隔）」をとるタイミングでアイコンタクトを外します。その際に、うなずくように目線を下のほうに外しましょう。

「目は口ほどにものを言う」という言葉があるように、目の表情やアイコンタクトを意識すると対応ができるでしょう。

マスク着用のメリット

このほかにも、コミュニケーションを促進するために、マスク着用時はマスクでかくれていない部分に視線がいくことを意識しましょう。たとえば、アイメイクや髪型などは自己を表現するもの、すなわち非言語的メッセージです（第2章2非言語的コミュニケーション➡22頁参照）。相手に見える部分から出される非言語的メッセージで、自分の印象が変わることを意識しましょう。

しかし、マスク着用はマイナスばかりではありません。マスクを着用することで、相手からの視線に対する不安が軽減されるという考え方も報告されています。

マスク着用時には、マスクを着用していないときと何が異なるのかを十分に意識してコミュニケーションすることで、患者の心に寄り添う関係が構築できるでしょう。さらに、コロナ禍で面会が制限されている家族との意思疎通をはかることができます。

4 良好なコミュニケーションに必要なこと

私たち医療者が提供したケアの質を患者さんの視点で評価するものとして「患者満足度」の調査があります。患者満足度に関連する要因として、①患者さんの要因、②医療者の要因、③コミュニケーションなど個

人間の交流にかかわる要因があるとされています。特に，医療者とのコミュニケーションと患者満足度は関連が強いと報告されています（Williamsら，1998）。また，「医師・看護師の対人マナー」「医師・看護師の専門技術能力」「病院の設備・利便性」「医療費」の4つの要素が医療の質を構成していることが明らかにされています（早瀬ら，2012）。つまり，医療者のコミュニケーションによって医療の質，患者さんの満足度に大きな影響が与えられるのです。

私たちが良好なコミュニケーションを行うためには，以下のことが必要になります。

① コミュニケーション時に，4つの交流（事実・感情・理解・関係）がなされるように意識して行うこと
② コミュニケーションに影響する要因（環境要因・人的要因・機能障害・位置と距離）を意識的に整えること
③ 聴くための技法を習得すること

コミュニケーションをとることがとても苦手だという人もいるでしょう。よく，「人見知りだからコミュニケーションがうまくとれるか心配です」という相談を受けます。良好なコミュニケーションに必要なことの2つは，人見知りであっても，コミュニケーションが苦手だと日頃感じている場合でも，意識して行うことで可能となることです。あとは聴くための技法を習得すれば，きっとコミュニケーションが成功することでしょう。

引用文献
- 藤原厚子，大河内律子，榊原かおりほか．(2006)．患者と看護師の声の関係―会話音量の測定を試みて．西尾市民病院紀要，17(1)，116-118．
- Hall ET./日高敏隆，佐藤信行（訳）．(1966/1980)．The Hidden Dimension. Doubleday & Company, NY./かくれた次元．pp160-181，みすず書房．
- 早瀬良，坂田桐子，高口央．(2012)．患者満足度を規定する要因の検討―医療従事者の職種間協力に着目して．実験社会心理学研究，52(2)，104-115．
- 堀めぐみ，佐々木八重，森脇三重子．(2000)．ICUに勤務する看護婦のマスク常用が患者に及ぼす影響―識別・イメージ・コミュニケーション・情緒の視点から．日本看護学会論文集，成人看護学，31，92-94．
- 北川歳昭．(2012)．座席行動の心理学―着席位置をめぐる心理メカニズムの解明．大学教育出版．
- 北島万裕子，加悦美恵，飯野矢佳代．(2012)．マスクを着用した看護師の声は患者にどのような音として聞こえているのか．日本看護技術学会誌，11(2)，48-54．
- Knapp MK, Wiemann JM, Daly JA. (1978). Nonverbal communication：issues and appraisal. Human Communication Research, 4(3), 271-280.
- 佐藤成美，山内さつき，高林範子ほか．(2014)．音声分析によるマスク着用時のコミュニケーション方法についての検討．岡山県立大学保健福祉学部紀要，21(1)，45-55．
- 田辺かおる，西沢義子．(2009)．医療者のマスク装着による表情認知の実態．日本看護研究学会誌，32(3)，285．
- Williams S, Weinman J, Dale J. (1998). Doctor-patient communication and patients satisfaction：a review. Family Practice, 15(5), 480-492.

第3章 確認テスト

1. コミュニケーションの影響要因を4つ列挙しましょう。

2. コミュニケーションにおける交流を4つ列挙しましょう。

3. 良好なコミュニケーションのために，聴くための技法を取得すること以外で必要なことを2つ述べましょう。

解答 ▶ 138頁

第2部

看護における
コミュニケーション

第4章 医療（看護）におけるコミュニケーション

学修目標

- □ 看護におけるコミュニケーションの場面を述べることができる
- □ 看護におけるコミュニケーションの対象を列挙できる
- □ 看護過程におけるコミュニケーションを説明できる
- □ 看護面接とはどのような過程かを述べることができる
- □ 看護面接の意義を列挙できる
- □ 生物心理社会モデルの重要性を述べることができる
- □ 患者中心の看護面接の構造を説明できる
- □ 解釈モデルとは何かを述べることができる

1 看護におけるコミュニケーションとは

1）看護におけるコミュニケーションの場面

看護におけるコミュニケーションの場面はいくつかあります。

まず患者さんとはじめて出会う場面です。たとえば，皆さんが風邪をひいて近くのクリニックを受診したときを思い出してください。看護師から「今日はどうされましたか？」と尋ねられたことはないでしょうか？このように外来受診時でも入院時でも多くの場合，医師の診察の前に看護師とのコミュニケーションがなされているでしょう。

次に，患者さんに必要な看護を提供するための情報を収集する場面があります。入院患者さんをイメージしてください。看護師が入院患者さんから「アナムネーゼ聴取◆」といって，看護に必要な情報を収集しています。

また，患者さんに必要なケアを提供する場面でもコミュニケーションをとります。患者さんに必要な看護を提供するための情報を収集したあと，必要な看護を判断し，看護ケアを行います。そのケアを実施するときには無言で行うのではなく，コミュニケーションをとりながら実施しています。たとえば，入浴できない入院患者さんに対し，身体を清潔にするために清拭を実施するときも，患者さんにケアの目的などを説明し，了解を得て実施します。実施にあたっては，排泄の有無や体調など

◆word **アナムネーゼ聴取**

語源はドイツ語のAnamnese（既往歴）です。初診の患者さんや，入院してきた患者さんからさまざまな情報を収集することです。実際には，主訴，現病歴，既往歴，家族歴，嗜好など看護に必要な多くの情報を収集します。

を尋ね，その結果清拭ができると判断したら，実施します。実施中ももちろん無言で行うのではなく，患者さんとコミュニケーションをとりながら実施します。さらに清拭後，患者さんに体調の変化がないかなどコミュニケーションをもとに情報収集し，ケア実施の評価をします。このようにコミュニケーションは常にとりながらケアを提供します。

　患者さんを対象としたコミュニケーションだけでなく，患者さんに良い医療・看護を提供するために，医療チーム内（看護師と看護師，看護師と医師など）での協働の場面でもコミュニケーションの場面があります。たとえば，看護師同士で患者さんの情報を交換する場面や，患者さんにより良い看護を提供するためのカンファレンスの場面などがあります。患者さんへ良いケアを行うためには，患者さんを中心としたチームが必要です。このチームは多職種連携といって，看護師だけではなく，医師，栄養士，理学療法士，薬剤師，医療ソーシャルワーカーなど多くの職種でチームを形成しています。そのチームメンバーの他職種とのコミュニケーションの場面もあります。

　このように看護におけるコミュニケーションの場面は多くあります。また，コミュニケーションをとる対象は，患者さんやその家族だけではなく，看護師，医師，薬剤師など，患者さんをとりまくすべての人がコミュニケーションの対象となります。

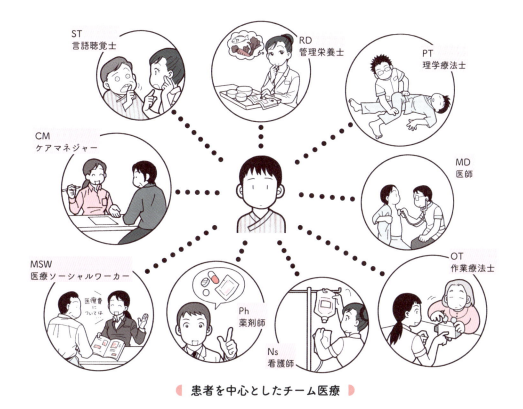

◀ 患者を中心としたチーム医療 ▶

2）看護過程とコミュニケーション

　看護過程とは，「患者の健康上の問題を見きわめ，その解決についての考えを計画，実行し，結果を評価しながらよりよい問題解決を図るという一連の意図的な活動を示すもの」です（看護大事典，2010）。患者さんにより良い看護を提供するために看護過程を展開します。

　看護過程には大きく，①情報収集，アセスメント，②問題の抽出，看護診断，③看護計画，④実施，⑤評価のステップがあります（図1）。

　友人が腹痛を訴えてきた場面をイメージしてみましょう。「おなかが痛い」と言う友人にあなたは，「いつから？」「どんなふうに？」「どこが（部位）？」「どんな痛み？」「何か心当たりがある？　悪いもの食べた？」「どうすると楽になる？」「便は？」「ほかに何か気になる症状がある？」などと質問をするでしょう。そして，友人から返ってきた答えをもとに，いろいろと考えるのではないでしょうか？　この過程が情報収集・アセスメントの段階です。次にあなたは，いろいろ推論した結果，「昨日食べたものが原因による下痢」が問題だと判断し，そのことで何が困っているのか，つまり支障をきたしていることは何かを特定します。この部分が診断の部分にあたります。そして困っていることが明らかになったら，そのことに対して対策を立てるのが計画立案で，それを実施し，その結果どうなったかを確認するということをしているのではないでしょうか。このように普段の生活においても，看護過程と同じ思考のプロセスを行っていることは多くあります。

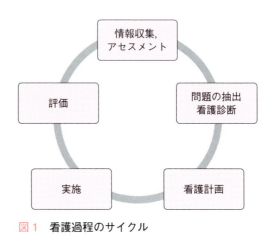

図1　看護過程のサイクル

　看護過程におけるコミュニケーションは，①情報収集，②実施，③評価の各ステップで行われます。特に①情報収集のステップでは，いかに患者さんの看護に有用な情報を集めることができるかで，次の診断に大

きく影響します。19世紀に活躍したオスラーという医師の言葉に"Listen to the patient. He is telling you the diagnosis"という有名な言葉があります。「患者の言葉に耳を傾けなさい。患者はあなたに診断を告げている」という言葉です（平田，1991）。この言葉は医師に向けて発せられた言葉ですが，ほかの医療職にも共通しています。特に，患者さんと一番接する医療職の看護師はこのことを実践していかなくてはいけません。看護師が，患者さんとともに解決すべき問題，すなわち看護診断をするためには，患者さんの話を十分に聴き，患者さんが生活をする中で何に困っているのか，患者さんの訴えも含め，どんなことを医療に求めているのか，どのような見通しをもっているのかを知ることは，とても重要なことです。

2 患者中心の看護面接

1）看護面接とは

　より良い看護を提供するためには，いかに有用な情報を得ることができるかが重要です。つまり，看護面接が重要となります。

　看護面接とは，看護の対象となる人の話に耳を傾け，良好なコミュニケーションをはかりながら，対象となる患者さんと一緒に看護問題について考えていくことです。つまり，看護の目的に沿って，対象となる患者さんとその患者さんに関する情報をやりとりする一連の過程です。

患者中心の看護面接

2）看護面接の意義

看護面接の意義としては3つあります。

1つ目は診断的意義です。看護に必要な情報の収集と看護問題の同定ができます。先ほどのオスラーの言葉にもありますが，ハンプトンらは，面接によって診断に必要な情報の60〜80%が得られると報告しています（Hamptonら，1975）。

2つ目はケア的意義です。看護面接により良好な患者-看護師関係を築くことができるのです。看護師の言葉や行動は，患者-看護師関係に影響します。看護師が共感的態度で，患者さんの話を傾聴することができると，ケアに結びつきます。皆さんは，話をしてもどうしようもないようなことであっても，友人に話をしたことがありませんか？ そのとき友人が共感的態度であなたの話を聴いてくれた場合，その問題は解決しませんが，なんだか聴いてもらえただけで心が軽くなったという経験をしたことがありませんか？ 患者さんの話に耳を傾け，患者さんに共感を示すことで，話をした患者さんは「聴いてもらえた」と肯定的な感情をもつことができるのです。これがケア的な意義となります。

3つ目は教育的意義です。患者さんとの看護面接時には，患者さんからの情報を得るだけではなく，看護師も患者さんに対してさまざまな情報を提供することがあります。この看護師から提供される情報が教育的な意義をもつのです。

3）生物心理社会モデルと生物医学モデル

医療の現場では，長い間疾病から患者さんをとらえる生物医学モデルにより患者さんをとらえていました。生物医学モデルとは，患者さんを疾患からとらえるモデルであり，身体面の情報は得られますが，心理・社会面の情報が不足し，医療者中心の面接になるという欠点がありました。私たちの医療の対象である人間は，生物(医学)・心理・社会的な要素を分離してとらえることは難しく，それぞれの要素が相互に作用し成り立っています。生物医学モデルで患者さんをとらえた場合，実際に患者さんに生じている疾病などについては対応することが可能ですが，疾病を治すことだけでは解決しない問題を患者さんはもっています。つまり，人間の不調や病気は，生物・心理・社会の複合的な問題からなり，それぞれの側面における対処を試みるだけでなく総合的に人間を見る必要があります。

そこで生物医学モデルではなく，人間を生物的・心理的・社会的要素の統合された混合物としてとらえる，つまり全人的にとらえるために提唱されたのが，生物心理社会モデル（biopsychosocial model）です。この生物心理社会モデルは，エンゲルが提唱しました（Engel，1977）。

あなたはどのように考えますか？

　Aさんは，切迫流産で緊急入院した20歳代後半の女性です。流産しかかっているので，すぐに点滴での治療が開始され，ベッド上安静となりました。排泄のときのみ，ベッド下に設置されたポータブルトイレに降りることができる状況です。Aさんの夫は海外に出張中でした。入院時に付き添っていた友人も帰宅してしまいました。
　入院後2日間，食事は，お味噌汁以外には手をつけていないことが続いていました。

　このような状態を見たとき，「赤ちゃんを流産しかかっているため精神的に落ち込んでいる」「食欲がないのではないか」「つわりで気持ちが悪くて食べられないのではないか」などと考える人が多いのではないでしょうか。これは，患者さんを切迫流産の患者さんとして「生物医学モデル」でとらえた場合の考えといえるでしょう。
　しかし，実際のAさんの心境は以下のようなものでした。

「おなかの赤ちゃんのためにも食べなくてはいけないと思っている」
「空腹感はある」
「緊急入院したため，お箸がない」
「売店に買いに行きたくても，ベッド上安静で買いに行けない」
「夫（家族）は海外出張中」
「近くに住む夫の家族とは仲が悪いので連絡したくない」
「看護師さんは忙しそう……」

　このAさんの状況はごくまれな状況かもしれません。しかし，もし「生物心理社会モデル」で患者さんをとらえることができたら，看護師の対応も違うのではないでしょうか。
　このように生物医学モデルを活用した医療者中心の面接では，患者さんの真のニーズをとらえることは困難です。ケアの対象は悪くなった部品ではなく，全体性をもった1人の人間であること（近藤，1999）や，患者を全人的な立場から見て，幅広い視点から常に見ることの必要性（日野原，1991，1992）が述べられています。多くの場合，患者さんに生じている問題は原因が複数あり，それらが複雑に関係しあい，何か1つの原因に対応しても，解決しない複雑な問題があります。生物心理社会モデルを活用した患者中心の看護面接を行うことで，患者さんを全体的にとらえることが可能となり，患者さんにとって必要な看護の提供につながるのです。

4）患者中心の看護面接

　患者中心の看護面接では，患者さんを全体的にとらえる生物心理社会モデルを活用し「患者が自分にとって何が最も重要か？」を引き出すことを促します。患者さんは，症状のほか，自分の個人的な関心事を伝えることができます。そのため，患者中心の看護面接は医療者中心の面接より，人間的で科学的であると多くの研究結果（Robertsら，1995；Spiers，1998）によりいわれています。

① 患者さんを1人の人間とみなし，尊厳・尊重することができる
② 患者さんが自己の問題として医療者と協働することができる
③ 患者さん自身が身体面だけではなく，人間的側面を認識・言及することができる
④ 患者−医療者の連帯（協働）を感じることができる
⑤ 医療者中心では患者さんの個人的関心を引き出せない場合がある
⑥ 患者満足度が改善され，コンプライアンス・知識・理解が促進される
⑦ 医療過誤訴訟やドクターショッピング◆が減少する
⑧ 健康度のアウトカムを改善することができる

　良好な看護面接には，患者中心のプロセス（面接）と医療者中心のプロセス（面接）を統合することが重要です。通常の看護面接は，次のようなプロセスをたどります（図2）。

① 面接準備・開始（オープニング）
② 情報収集（患者さんの話を聴く）
③ 患者理解
④ 情報共有（患者さんへ意見を伝える・フィードバック）
⑤ 解決すべき問題点や今後について一緒に考え決定する
⑥ 面接終了（まとめと今後についての相談，クロージング）

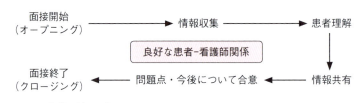

図2　看護面接のプロセス

　この看護面接のプロセスにおいて，まずは「患者の話を聴く」患者中心の面接を実施します。私たち看護師が医療者の主観で患者さんの問題点・ニーズを探るのではなく，患者さん自身の言葉や視点で実際に起

◆word **ドクターショッピング**

　ドクターショッピングとは，患者さんが満足のいく答えを求め，いくつかの病院を渡り歩くことです。よく青い鳥を探し回ったチルチルとミチルのようなものといわれます。たとえばA医院にかかった人が，そこでの診察には満足できず，次にB医院を受診し，同じ症状を訴えます。さらにそれでも満足せず，C医院を受診し，そこでもまた同じ症状を訴えます。こうしてあちこちの医療機関を受診し，どこへ行っても満足しないまま終わります。患者さんがドクターショッピングをすると，だいたい同じような検査がなされ，同じような薬をもらってくることになります。今の医療は標準的な診断法，治療法がありますので，同じ症状の患者さんの場合，同じような検査や処方がなされるのは当然なことです。結果として，医療費の無駄遣いが生ずるという問題があります。
　よく間違えられる言葉に「セカンドオピニオン」がありますが，これは病院で勧められた治療方法に対して，別の病院で違う医師にその治療に対して意見を求めることをいいます。たとえば，「主治医から手術が必要といわれているのですが，先生はどう思われますか」というふうに，別の医師に意見を求めることです。
　ドクターショッピングとセカンドオピニオンは同じ行為ではありませんので，間違えないようにしましょう。

こったことを話してもらうことで，患者さんが自分にとって何が最も重要と考えているのか，すなわち患者さんの真のニーズを把握することができます。それらが明らかになった時点で，次に医療者中心の面接へ切り替えて，看護に必要な情報を収集します。情報を提供して，自分自身のケアプランに積極的な役割を果たしてもらうとき，健康を最大限に高めるとともに，患者の満足と医療の効率が高まるのです。信頼しあうパートナーシップ，良好な患者-看護師関係の構築が求められます。

5）患者中心の看護に必要な解釈モデル

"Nothing about me without me"（私ぬきに私のことを決めないで）という言葉を聞いたことがありますか。もともとは"Nothing about us without us"◆という障がい者の自立生活運動のスローガンとして使われていた言葉です。私たちが看護面接を行う目的は，患者さんに必要な看護（問題点）を同定し，患者さんのニーズにあった看護を提供するためです。したがって，看護師の視点からとらえるのではなく，患者さんの視点から情報を収集することは必須であることは先に述べました。つまり，患者さんの病気や現在の状況をどのようにとらえているのか，医療に期待すること，今の問題点がどのように生活に影響を与えているのかなど，その問題点に関する患者自身の考えを明らかにすることが重要です。これらの考えを「解釈モデル」といいます。

クラインマンは，患者さんの解釈モデルを理解することの重要性を述べています（Kleinman, 1980）。たとえば，皆さんが転倒して足がひどく傷んだとき，「転倒したときに骨折したのではないか」「骨折だったとしても，できれば1週間後の実技試験は受験したい，受験できるかな」「できるだけ実技試験に支障がないように治療をしてもらいたい」など今自分に起こっていること，このことが今後どのように生活に支障をきたすのか，医療に求めることなどさまざまなことを考えるでしょう。この考えたことが解釈モデルです。解釈モデルは，その人の過去の経験や，社会的背景，文化などに影響を受けます。そして，患者さんは自分の解釈モデルに基づいて受診行動をとります。医療者からの説明や助言の受け入れも，自分の解釈モデルに基づいて決めるといわれています。したがって，患者さんの解釈モデルと医療者の解釈モデルが一致することが，良い医療につながるという報告もあります（Johnsonら, 1995）。看護師の解釈モデルと患者さんの解釈モデルが一致するよう，患者中心の看護面接を行い，患者さんの解釈モデルを聴き出すことが重要です。

◆word **"Nothing about us without us"（私たちぬきにして私たちのことは決めないで）**
障がい者自身の自立と権利擁護のための組織化，その過程において当事者の生の声を集め，障がい者解放運動の歴史と理念，現在の課題を述べた書籍があります。チャールトンが2000年に執筆した書籍です（Charlton, 2000）。現在は日本語にも訳されています。
また，この"Nothing about us without us"（私たちぬきにして私たちのことは決めないで）は，「障害者の権利に関する条約（仮称）（Convention on the Rights of Persons with Disabilities）」策定の過程において，すべての障がい者の共通の思いを示すものとして使用されています。

引用文献

- Charlton JI./岡部史信(訳). (2000/2003). Nothing about us without us：Disability Oppression and Empowerment. University of California Press, New Ed./私たちぬきで私たちのことは何も決めるな. 明石書店.
- Engel GL. (1977). The need for a new medical model：a challenge for biomedicine. Science, New Series, 196(4286), 129-136.
- Hampton JR, Harrison MJ, Mitchel JR, et al. (1975). Relative contributions of history-taking, physical examination, and laboratory investigation to diagnosis and treatment of medical outpatients. British Medical Journal, 2(5969), 486-489.
- 日野原重明. (1991). 日野原重明著作・講演集1 医学・医療の方向転換―私の提唱. p110, 医学書院.
- 日野原重明. (1992). 医と生命のいしずえ―医療をめざす, 若き友へ. pp136-165, 同文書院.
- 平田幸正. (1991). (最終講義)Listen to the patient. 東京女子医科大学雑誌, 61(6), 512-516.
- Johnson TM, Hardt EJ, Kleinman A. (1995). Cultural factors in the medical interview. In Lipkin M Jr, Puthan SM, Lazare A. (eds), The Medical Interview：Clinical Care, Education, and Research. pp153-162, New York, Springer.
- Kleinman, A. (1980). Patients and Healers in the Context of Culture：An Exploration of the Borderland Between Anthropology, Medicine, and Psychiatry. Berkeley. University of California Press, 1980.
- 近藤隆雄. (1999). 論点：看護の価値を創造する―サービス・マネジメントとは. 日本看護管理学会誌, 3(2), 14-20.
- Roberts SJ, Kroese HJ, Michaud E. (1995). Negotiated and nonnegotiated nurse-patient interactions：enhancing perceptions of empowerment. Clinical Nursing Reseach, 4(1), 67.
- Spiers JA. (1998). The use of face work and politeness theory. Qualitative Health Research, 8(1), 25.
- 和田攻, 南裕子, 小峰光博(総編集). (2010). 看護大事典, 第2版. p591, 医学書院.

第4章 確認テスト

1. 看護面接とはどのような過程か説明しましょう。

2. 看護面接の意義を3つ列挙しましょう。

3. 良好な看護面接に必要な面接を述べましょう。

4. 患者さんの解釈モデルを聴くことがなぜ必要なのかを説明しましょう。

解答 ▶ 138頁

第5章 良好なコミュニケーションに必要な技法—質問技法—

学修目標

- ☐ 良好なコミュニケーションに必要な聴くための技術を述べることができる
- ☐ コミュニケーションの場面設定ですべきことを具体的に述べることができる
- ☐ 聴くための技法としての質問技法を列挙することができる
- ☐ 開かれた質問と閉ざされた質問が区別できる

　良好なコミュニケーションに必要なこととして，①コミュニケーション時に，4つの交流（事実・感情・理解・関係）がなされるように意識して行うこと，②コミュニケーションに影響する要因（環境要因・人的要因・機能障害・位置と距離）を意識的に整えること，③聴くための技法を習得することがあります（第3章➡29頁参照）。

　医療の現場で患者さんと話をするときには，大前提として，まずは患者さんの話をじっくり聴くことが重要です。そのためには患者さんと話をする前に，②コミュニケーションに影響する要因を意識的に整えること，すなわちコミュニケーションの場面を設定することからはじまります。

1 コミュニケーションの場面を設定する（環境を整える）

　コミュニケーション時にはその場面を設定することが重要となります。具体的には以下の内容を整えます。

① コミュニケーションに影響する要因への配慮
- 患者さんの安らぎとプライバシーに配慮する
- 面接中断や気が散るような状況が最小限となるように配慮する（テレビやPHSなどの電源を切る）
- 自分自身の個人的な問題・価値観・先入観を排除する

② 患者さんの情報の見直し
- 患者さんの基礎情報（年齢，性別，主訴など）を確認する

③ 患者さんとの対面時にオープニングを丁寧に行う
- 自分の名前・立場を告げる

- 患者さんの名前をフルネームで確認する
- 目的・時間を告げ了解を得る
- コミュニケーションの障壁を取り除く
- 患者さんの安楽に配慮する
- 必要時にはプライバシーを守ることを告げる

たとえば，以下のようにオープニングを行います。

看護師　「こんにちは，私は看護師の□▽○子です（**自分の立場・名前を告げます**）」
　　　　「お名前をフルネームで教えてください（**患者さんの氏名の確認をします**）」
患　者　「○×△子です」
看護師　「○×△子さんですね（**確認のために名前を復唱します**）」
　　　　「今から30分ほど，○×△子さんの入院に関するお話をうかがいたいのですが，お時間よろしいですか（**時間と目的を告げ，了解を得ます**）」
患　者　「はい」
看護師　「その姿勢でおつらくないですか（**患者さんの安楽に配慮します**）」

テレビがついていたら，患者さんに了承を得てから消していただいたり，インタビューができる環境の場所へ移動する場合もあります。

◀ オープニングの進め方 ▶

2 聴くための技法：質問技法

良好なコミュニケーションのための技法には，質問技法と関係構築の技法があります。質問技法には，開かれた質問 open ended question と閉ざされた質問 closed question があります。

1）開かれた質問と閉ざされた質問

開かれた質問は，「今日のご気分はいかがですか？」というように，対象が自由に答えることができる質問の方法です。オープンクエスチョン，開放型質問とも呼ばれています。この開かれた質問で聞かれた対象は，「はい」「いいえ」では答えることはできません。たとえば，「昨日の夕食はいかがでしたか？」は自由に夕食について答えることができる質問で，開かれた質問です。

開かれた質問の利点としては，以下のことがあります。

- 患者さんが自らの言葉で自由に話ができる。その結果，患者中心で効率的な情報収集ができる。患者さんの考えによる情報を引き出すことができる。
- 患者さんの話をよりリラックス，かつ集中して聴くことができる
- 看護診断の精度が向上する
- 「疾患」のみでなく，患者さんの体験としての「病」についての情報が得られる
- 患者さんと対等な関係だという姿勢を示すことができる

開かれた質問を効果的に活用すると，患者さんは自由に話をすることができますので，医療者が考えてもいなかった解釈モデルを引き出すことが可能になります。しかし，次のような使用方法や場面では有効ではありません。

- 開かれた質問で尋ねたが，いざ患者さんが自由に語りはじめると，途中でさえぎったり，時間を気にするような態度をとる
- 「今までどんな生活でしたか？」「今までどんな病気になりましたか？」など質問の内容が漠然として，患者さんが何を答えたらいいのかわからない場合や，質問の意図が伝わらない場合
- 医療者の聴きたいことが，頭痛がいつからはじまったのかを知りたいときなど，患者さんに答えてもらいたい内容が限定されている場合

開かれた質問の利点と欠点をふまえたうえで，適切に使い分けることが重要です。もし，患者さんが開かれた質問に対して，返事に困っているサインや，「え〜と」「う〜ん」などと言いよどむような様子をキャッチ

した場合，不適切な使用であったことが考えられます。その場合は，患者さんの困惑したサインを読み取って，質問方法を変えてみましょう。このほかにも，質問者の質問に対して「（質問されたことは）こういうことですか？」というように，質問に対して質問が返ってくる場合も，開かれた質問が不適切であった場合が考えられますので，質問方法を変えてみると良いでしょう。

◀ 質問に困る患者さん ▶

閉ざされた質問は，閉じた質問，閉鎖型質問とも呼ばれ，「けさ腹痛はありましたか？」のように「はい」「いいえ」で答えることを求める質問です。

この技法は特別な話題に焦点をあてることができ，情報の正確性は高まります。しかし患者さんは受け身になり，医療者が主体となります。また，特別な話題に焦点をあてていますから，得られる情報の幅が限定されます。この閉ざされた質問技法だけを活用した場合，医療者の知りたい情報を得ることはできますが，患者さんの満足度は下がり，治療的意義が半減します。

2）開かれた質問のための技法

開かれた質問技法には，焦点を絞らない技法としての「沈黙」「非言語的促進」「中立的発言」と，焦点を絞った技法の「反映」「促し」「要約」などがあります。

(1) 焦点を絞らない技法

患者さんは自由に自分の考えにより話をすることができますので，患者さんの話を促します。しかし，特定の話題に焦点をあてるには不向きです。

● 沈黙◆

タイミングによっては有効です。何も話さない時間を通常の1秒から

> **◆word 沈黙**
>
> 沈黙については，文化的背景によって意味合いが異なります。「言わぬは言うに勝る」「以心伝心」「秘すれば花」などのことわざが日本にはあります。日本の文化においては，沈黙が良いとされる場合も多くあります。会話の中に沈黙は多く活用されます。しかし，欧米人の場合は「いろいろな問題を含んでいる」ことを意味します。欧米人の多くは，沈黙を居心地の悪いものととらえていますので，会話中に沈黙が起こると慌てて発言をして沈黙を解消しようとします。対象にあわせて沈黙の活用を考えていきましょう。

3秒へ長くするだけでも有効だといわれています。これは，患者さんにゆっくり考える時間を与えることにもなりますし，医療者にとっても情報を整理することが可能となります。通常，沈黙すると，患者さんを不快にさせるのではないかとか，気まずいのではと感じる方が多いのですが，実際には当事者が思っているほど長くはないものです。

ただし，患者さんの目線が落ち着かない，なんとなく居心地が悪そうだと感じるなどのサインをキャッチした場合は，繰り返しなど別の技法を活用したり，ほかの話題に変えるなどをします。

患　者　「昨日はそのことが気になってしかたがなくて，何もできなかったのです(小休止)」
看護師　「……」(患者さんの顔を見ながら5秒間沈黙する)
患　者　「だから，友人に話を聴いてもらおうと思って電話をしたのですが，留守番電話で話ができなかったのです……」

● 非言語的促進

うなずき，話を続けるように手を向ける，視線を適度に合わせる，共感の表情(相手の感情に対して反応)，話を聴く姿勢(前傾姿勢)などで患者さんに話をするように仕向ける方法です。

患　者　「友人と話ができなかったので，夜はなかなか寝つけなかったのです(小休止)」
看護師　(うなずきながら，患者が続きを話すのを待っているような表情で見る)
患　者　「だから，ついついやめていたお酒を飲んでしまったのです……」

● 中立的発言・中立的立場

あいづち(なるほど，そうですか，ふむふむ)，あたり障りのない言葉を活用することで，患者さんに話を続けるように促すことができます。うなずきや沈黙といった非言語的メッセージと組み合わせると話を促進することができます。

患　者　「ついついお酒を飲みすぎてしまって……」
看護師　(うなずき：非言語的促進)
患　者　「結局眠れなかったのです」
看護師　「そうですか」
患　者　「そうなのです，今から考えたら，どうしてあのときにお酒

看護師	「を飲んでしまったのか，本当に後悔しています」
看護師	「なるほど」(**中立的発言**)
患　者	「それで考えたのです」
看護師	(視線を合わせながら，前傾姿勢になる：**非言語的促進**)
患　者	「禁酒のための治療を受けようと」

● うなずきやあいづちを組み合わせる ●

(2) 焦点を絞った技法

反映，開かれた促し，要約などを活用した技法です。患者の話を促進するだけでなく，特定の話題に焦点をあてるには有効な技法です。

● 反映

反映，繰り返し(オウム返し)ともいわれます。患者さんの言った言葉をそのまま同じ言葉，同じフレーズを使って言います。

患　者	「昨日はもう真っ暗な世界に足を踏み入れたような気持ちでした」
看護師	「真っ暗な世界に足を踏み入れたような気持ちだったのですね」
患　者	「そうなのです……」

● 開かれた促し

話題の焦点を絞っているが開かれた質問のことです。開かれた促しはすでに話された内容について，内容をさらに深く聴くことができます。

「……についてもう少しくわしく話していただけますか？」と，ある程度問題が明らかになったときに使うと，より話が具体的になります。特に口数の少ない患者さんには用いると良い技法です。

患　者　「よくテレビなんかで見る暗黒の世界にたった１人取り残されたような感じだったのです」
看護師　「続けてください」（開かれた促しであるが，特定の話題に焦点は絞られていない）
患　者　「そのうち胸がぎゅ〜って痛くなってきたのです」
看護師　「胸が？」（開かれた促しであるが，焦点は絞られている）
患　者　「そうなのです」
看護師　「そのことをもう少しくわしく教えてください」（開かれた促しで，特定の話題に焦点を絞っている）
患　者　「はい，胸が締め付けられるような，痛いような……」

● 要約

要約，まとめ，言い換えは，反復，オウム返しのように言葉やフレーズの繰り返しとは異なり，患者さんの話や感情を医療者が自分の言葉で述べることです。この要約により以下のことが可能となります。

- 患者さんの話を促進する
- 看護師が話を正しく聴けたかを確認できる
- 看護師が話をきちんと聴いていたことを明確に伝えることができる
- 面接の流れを整理することができる

要約をすることで，あいまいな情報を明確にすることができ，情報を整理することができますので，話の最後だけではなく，インタビューの途中にも要約を入れることが有効です。

また，よくお話をされる患者さんや，話がそれてしまう患者さんの場合でも，「ここまでのところをまとめさせてください」と要約することで，インタビューを効果的に進めることができます。何を聴いたら良いのかわからなくなった場合や，学生さんの場合，「緊張してしまって頭の中がぐちゃぐちゃになってしまった！」という場合でも，この要約を入れることで，自分の頭の中を整理することができます。

開かれた質問を活用し，患者さんの話を積極的に傾聴し，適切なタイミングで要約すると患者中心の面接をうまく進めることができます。

患　者　「胸が締め付けられるような感じがしてから，以前テレビで見たドラマの話を思い出して……（長々とテレビドラマの話をする）」

看護師 「そうですか、ここまでのお話をまとめさせてください」(要約する)

> **Column** 「語る」ことで人の脳内でどのようなことが生じているのか
>
> ある実験で感情を言語化、つまり語ったときの前頭葉と扁桃体の活動を調べました。すると、自分が感じている感情をラベリングしているときには前頭葉が活性化され、扁桃体の反応が抑制されていました(Liebermanら、2007)。前頭葉は思考を司り感情をコントロールします。扁桃体は不安や恐怖などを感じ取ります。したがって、感情を「語る」ことで人は前頭葉が活性化され、恐怖や不安といった感情をコントロールすることができるのです。

引用文献

- Lieberman MD, Eisenberger NI, Crockett MJ, et al.(2007). Putting feelings into words: affect labeling disrupts amygdala activity in response to affective stimuli. Psychological Science, 18(5), 421-428.

第5章 確認テスト

1. 看護師が活用している開かれた質問技法の名前を書きなさい。

   ① 患　者「歯が痛くて，痛み止めの薬を飲もうと思ったのです」
   　 看護師「痛み止めの薬？」

   ② 看護師「ここまでのところをまとめさせていただくと，今回の入院は……(続く)」
   　 患　者「ええ，そうなんです」

   ③ 患　者「手術をしなければならないと聞いて，もしかしたらこのまま死んでしまうか
   　　　　　もしれないと考えたのです」
   　 看護師「死んでしまうかと思ったのですね」

   ④ 患　者「……通りを歩いていたら，目の前が真っ暗になって(小休止)」
   　 看護師（心を集中し，5秒間無言）
   　 患　者「……気がついたら，病院のベッドの上でした……」

   ⑤ 患　者「病気のことを家族に話したら，家族はとても驚いていました」
   　 看護師「そうですか……」
   　 患　者「特に息子はまだ幼稚園なので……」
   　 看護師「うんうん」
   　 患　者「なんだかとっても不安だったみたいで……」

2. 次の質問は開かれた質問か，閉ざされた質問か書きなさい。
   ①「腹痛はありますか？」
   ②「お仕事はされていますか？」
   ③「どんなお仕事ですか？」
   ④「今日のご気分はいかがですか」
   ⑤「もう少しお仕事の内容について話してください」

解答 ▶ 138頁

第6章 積極的傾聴と共感

学修目標

- □ 積極的傾聴とは何かを説明することができる
- □ 共感について説明できる
- □ 共感と同情の違いを説明できる
- □ 共感の伝達方法を述べることができる
- □ 積極的傾聴と共感の関連を説明することができる

1 積極的傾聴とは

医療の現場で患者さんと話をするときには，大前提として，まずは患者さんの話をじっくり聴くことが重要ですと述べました(第5章)。患者さんの話をじっくり聴くということは，それだけで**ケア的な意義は大きい**ものです。患者さんが，話をさえぎられることなく，十分に話すことができると，それだけで患者さんの満足度や患者さん自身の気持ちに対するケア的な意義を有することができるのです。

体調が悪くなって，病院を受診したときのことを思い出してください。病院を受診するという行動には，「原因を知りたい」「症状を改善したい」「薬がほしい」など受診する目的があります。また，何を医療者へ伝えるべきかを考えながら受診することが多いと思います。つまり，多くの患者さんは，その症状について自身の物語(ストーリー)をもっています。したがって，その物語をじっくり聴くということは，患者さんの受診目的を果たすために意義が大きいことになります。

しかし，じっくり聴くこと，さえぎらずに聴くためには意識して実践しなければいけません。多くの医療者が20秒以上患者さんの話を聴けていないという調査があります(Beckman & Frankel, 1984)。時折，「おしゃべりな患者さんの場合はどうですか？」という質問をされますが，おしゃべりな患者さんの場合も，まずはじっくり聴くことを実践しましょう。患者さんのほとんどは60秒以内に話を終え，150秒以上話し続ける人はいないという報告があります(Beckman & Frankel,

> **◆word　ロジャーズ**
>
> Carl R. Rogers（カール・ロジャーズ）は米国の臨床心理学者です。「20世紀に最も影響の大きかった心理療法家」の第1位です。彼のカウンセリング技法について述べるとき，非指示，受容，共感，傾聴，自己一致，純粋性などがキーワードとなります。クライアント（来談者）中心療法は，看護師と患者さんのコミュニケーションにおいても共通するキーワードが出てきます。

> **◆word　看護介入分類**
>
> 看護介入分類とは，アイオワ大学看護学部の研究者たちが取り組んで作成した「包括的で標準化された看護介入分類」です。看護は，アセスメントと看護診断，看護介入，評価というプロセス（看護過程）で展開されています。看護介入分類（Nursing Interventions Classification：NIC）はその看護介入のケアプランを示しています。現在発刊されている原書第7版には，565の介入と12,000以上の行動が示されています。

1984）。つまり，よく話をする患者さん（おしゃべりな患者さん）であっても，3分以上話をし続けることはないということです。

患者さんの話をじっくり聴くことを積極的傾聴といいます。ロジャーズら◆（1987）は，人間中心のアプローチとして，人間尊重の態度に基づき，相手の話を徹底的に聴くことを積極的傾聴と述べています。このお互いを尊重する建設的な人間関係には，「共感」「無条件の肯定的関心」「自己一致」が働いているとも述べています。

この積極的傾聴は，看護介入分類（Nursing Interventions Classification：NIC）◆にも介入項目としてあげられています。このことは，積極的傾聴は，単なるコミュニケーション技術としての位置づけではなく，「セルフケア援助」「転倒予防」「バイタルサイン・モニタリング」などの看護介入の同様に，「積極的傾聴」が1つの看護介入であることを示しています。看護介入分類では，積極的傾聴を「患者の言語的・非言語的なメッセージに対して細心の注意を払い，重要性を付与すること」と定義しており，具体的な介入行動が記載されています。たとえば，「相互作用の目的を設定する」「患者への興味を示す」「思考や感情，懸念の表出を促すために質問や意見を用いる」「コミュニケーション促進のために非言語的行動を用いる（例：非言語的メッセージが伝達する身体的なふるまいにも注意を払う）」など17の行動が示されています。その介入行動は，良好なコミュニケーション時に必要なことと共通していることがわかります。そして，非言語的なメッセージにも十分に傾聴（観察）することが大切です。

2　共感とは

共感という言葉は，普段の生活の中において使用されています。しかし，共感はとても複雑なものです。共感とは，客観性を保ちながら他人が感じることを自分のこととして感じる（または感じようとする）ことです。自分が患者さんの立場だったらどうであろうかと考えながら対応する態度のことをいいます。

共感はよく同情と混同されがちですが，英語で共感は"empathy"，同情は"sympathy"と表現され，同じものではありません。同情（sympathy）は，良くない状況（好ましくない状況）にある他者に対して，自分自身がその他者のことを気に病み，その他者の言動を自分のもののように感じることとされています。

現在，私たちが共感としている行為を示す言葉は，もともと17世紀頃の欧州において，哲学，美学，倫理学などで使われていました。当時

は「共感 empathy」ではなく，「同情 sympathy」「あわれみ pity」「感情移入 einfühlung」などの言葉で表現されていました。19世紀に入りドイツの哲学者である Lipps が「感情移入 einfühlung（対象の中に入って感じること）」を心理学や社会学の基本概念として用いました。リップスは「感情移入」という言葉を，人々が芸術に触れたとき，心動かされる過程を表現するために使用しました（Lipps, 1909/1932）。たとえば，アクション映画を見ているときに「ハラハラ・ドキドキ」した経験を思い出してください。この経験は，私たちが映画の登場人物の経験していることを共有した結果です。

ドイツ語である「感情移入 einfühlung」は，英語圏には存在しませんでした。そのため，英国と米国の心理学者が英語に訳すときには，この「感情移入 einfühlung」が，同情 sympathy と別の概念として"empathy"という言葉がつくられたという経緯があります。日本では感情移入と共感は別の言葉として存在しますが，英語では感情移入も共感も"empathy"になります。

このように，もともと同情という言葉が存在していたにもかかわらず，あえて新しい言葉として共感がつくられた経緯からも，共感と同情が違うということは納得できるでしょう。

共感と同情の違いを理解することは，とても難しいと感じるかもしれません。同情は主体が「私」になり，私の感情が中心になります。たとえば，真冬に川の中に入り，探しものをしている人に対し，「かわいそう」「手伝いをしよう」などと感じ，自分も同じように川の中に入り「冷たい」と感じることが，同情です。この「冷たい」というのは，探しものをしている人に対してその人が「冷たい」ではなく，自分が「冷たい」ことを感じているのです。したがって，「冷たい」の主語（主体）は自分になります。

一方，共感の場合は，川に入るという行為はせず，川に入っている人の表情や言葉から，その人が「冷たい」と感じていることを共有することなのです。したがって，「真冬の川の中は冷たいでしょうね」と主語（主体）は相手ということになります。

看護の場面で考えてみましょう。たとえば，小さな子どもが3人いる父親である患者さんががんの告知をされたときに，看護師が「（患者さんに対して，小さなお子さんがいるのにかわいそうという気持ちを抱き）私もつらいです」などの声をかける場合は，その看護師自身が主体となり，同情になります。

共感は，「私」と対象の間に優劣の関係はなく，相手の立場・目線から物事を見るように意識し，「私」の感情ではなく，対象の感情などに積極的に関心をもとうとします。「私」と対象とでは，置かれた状況や立場が違いますから，感情や感覚などは異なります。しかし，対象の気持ちを

想像することで，対象が抱いている気持ちを感じることができます。先ほどのがん告知では，看護師が患者さんへ「（自分が同じ立場であったらどう感じるであろうかを考えながら）もし，私が同じ立場であったら，やはり同じような気持ちになるかと思います。今とてもつらいですよね」と声をかけることが共感になります。

　このように，共感は客観性を保ちながら（自分を失わず），他人が感じることを自分のこととして感じようとする（他人の側から相手の身になる）ことです。同情は，相手を同一視し，自分の側から他人の気持ちや感情を推し量ろうとすることです。そのため，同情は「負の感情」に巻き込まれやすいといわれています。こうして考えると，共感と同情は，「他人が感じることを自分のこととして感じようとする」，すなわち相手の身になるという点では共通しています。しかし，共感はあくまでも「相手の側から」，主体は相手でありますが，同情は「自分の側から」，主体は自分であるという点で違いがあります。

　共感は，効果的なコミュニケーションの重要かつ複雑な要因の1つです。つまり，あらゆる人間関係において，コミュニケーションの帰結に影響します。それゆえ，看護師と患者さんとの効果的なコミュニケーションでは重要な役割を果たします。共感がなければ，個人間のコミュニケーションの本質的な理解を欠くともいわれています。つまり，相手を理解するために必要不可欠なものになります。

◀ 共感と同情の違い ▶

3 積極的な傾聴と共感

　積極的傾聴がなされないと，共感することはできません。相手の世界観や考え方の中に入り込もうとする気持ちをもって，傾聴することが前提となるからです。共感的に傾聴することにより，問題の本質について理解が深まり，人間の反応に対するケアリングを養うことが可能となります。通常私たちは相手の話を聴き判断をする場合，相手の主張を聴いてはいますが，同時に自分が感じたことや考えたことに焦点をあてて，私たちの視点を強調しています。知らず知らずのうちに相手の主張を無視している結果になっていることが多いのです。つまり，積極的傾聴により相手の話に耳を傾け，批判や判断をすることなく相手の話を受け入

れる気持ちや，相手の興味や関心事に焦点をあてることに集中することが，ケアリングにも，共感にもつながります。

共感は，コミュニケーションを成立させるためには大切なものですが，共感の伝達方法は「それは大変でしたね」「つらかったでしょうね」などの言葉だけではなく，態度などの非言語的なメッセージでも示すことが重要です。

4 看護学生にとっての共感とは

看護学生が実習で「共感」を経験したときの感想では，「共感を言葉で表すのは難しかった」「本当に難しかった。自分の声が軽く聞こえた」「簡単に患者さんの苦しみに共感することは，今の自分では難しいと思った」などと困難であったことが述べられます。しかし，看護学生として傾聴を心がけ経験することで「『痛い』『気持ちいい』という言葉には共感できた」「患者さんの苦痛を理解しようとしたら，自然に共感の言葉や態度ができた」「共感を示したとき，患者さんとの距離が少し近づいたように感じた」などと「共感」を行うことが可能である感想も聞かれます。

看護コミュニケーションの学びはじめでは，共感の言葉を口にしている自分に照れてしまう人もいるでしょう。そのため，共感を実践することに戸惑いを感じるかもしれません。ピケは「共感するには勇気が必要である」とも述べています（Pike, 1990）。特に，学生や経験の浅い看護師の場合，患者から訴えられる苦痛，痛み，苦悩など対応が難しいものであればあるほど，自分の無力感を感じることにもなり，勇気が必要となります。

しかし，経験が浅い看護学生や新人看護師でも患者さんの感情に触れることはできます。積極的傾聴がなされれば，共感のタイミングもつかめます。そして，患者さんがどのように感じているのかを感じることができるようになります。積極的傾聴と共感はセットなのだと心に刻んでください。

次に，共感を相手に伝達するために有効だといわれている6つのステップ（Riley, 2011）を示します。積極的傾聴の行動が含まれていることがわかるでしょう。

① 注意を集中させるために，個人的な問題などを自分の頭の中から排除する
② 相手の話を聴くことに集中する
③ 相手の言語的メッセージだけではなく非言語的メッセージにも注意する

④ 相手が私に伝えたいことは何かを考える
⑤ 共感の言葉を態度とともに伝える
⑥ 共感の結果，相手はどのように反応したのか，受け取ったのかを確認する

　また，前述したように（第4章43頁），オスラーは"Listen to the patient. He is telling you the diagnosis"（患者の言葉に耳を傾けなさい。患者はあなたに診断を告げている）と言っています。この言葉を受けて，ただ無心に患者の話を聴くということではなく，聴き出す姿勢が必要で，患者の苦しみにじかに触れて悩みを聴き出していくことが必要であると平田は述べています（平田，1991）。つまり，患者さんをよく見て，その患者さんの状況にふさわしい態度を示すこと，患者さんの状況（何が起こっているのか）を医療者が理解していることを，言葉や非言語的なメッセージで伝え，共感を示すことが必要なのです。

　医療現場での共感はさまざまな効果が報告されています。オルソンやウィリアムスは患者に好ましい治療結果をもたらすことを報告しています（Olson，1995/Williams，1979）。また共感を示すことで，患者の疎外感や苦境は「自分だけ」のものという意識が薄れるとロジャーズは述べています。医療者が共感すれば，患者さんは理解されたと感じます（Rogers，1975）。つまり，自分は存在し，自分の考えは価値があることを知るという報告もあります（Kalisch，1973）。

引用文献
- Beckman HB, Frankel RM. (1984). The effect of physician behavior on the collection of data. Annals of Internal Medicine, 101(5), 692-696.
- 平田幸正. (1991). (最終講義)Listen to the patient. 東京女子医科大学雑誌, 61(6), 512-516.
- Kalisch BJ. (1973). What is empathy? The American Journal of Nursing, 73(9), 1548-1552.
- Lipps T./大脇義一（訳）. (1909/1934). Leitfaden der Psychologie, dritte, teilweise umgearteitete Auflage./心理学原論. 岩波書店.
- Olson JK. (1995). Relationships between nurse-expressed empathy, perceived empathy and patient distress. Image Journal of Nursing Scholarship, 27(4), 317-322.
- Pike AW. (1990). On the nature and place of empathy in clinical nursing practice. Journal of Professional Nursing, 6(4), 135.
- Riley BJ. (2011). Communication in Nursing 7th ed. Mosby.
- Rogers CR. (1975). Empathic：an unappreciated way of being. Counseling Psychologist, 5, 2-10.
- Rogers CR, Farson RE. (1987). Active Listening. Newman RG, Danzinger MA, Cohen M (eds), Communicating in Business Today. D.C. Heath & Company.
- Williams CL. (1979). Empathic communication and effect on client outcome. Issues in Mental Health Nursing, 2(1), 15-26.

第6章 確認テスト

1. 積極的傾聴とは何かを説明しなさい。

2. 共感と同情の違いを説明しなさい。

3. 次の文章を読んで共感と同情のいずれか判断しなさい。
   ① 穴に落ちた友人に対し，一緒にその穴に落ちて「大変なことになった」と声をかける
   ② 穴に落ちた友人に対し，地上から「大変なことになりましたね。どうしたらいいか」と声をかける

解答 ▶ 138 頁

第7章 良好なコミュニケーションに必要な技法―関係構築の技法―

学修目標

- [ ] 良好なコミュニケーションのために関係構築が必要な理由を述べることができる
- [ ] 感情探索の技法を2つ述べることができる
- [ ] 表出された感情に対応する技法を述べることができる
- [ ] 表出された感情に対応する技法 NURS を説明することができる
- [ ] 良好なコミュニケーションには、技法を単独で活用するのではなく、統合して活用することが必要であることを説明できる

　良好なコミュニケーションに必要な聴くための技法として、質問技法と関係構築の2つの技法があります。質問技法については第5章で述べたように患者さんの話を促進するための技法でした。

　関係構築の技法は、患者さんとより良い関係、患者-看護師の信頼関係を構築するために必要な技法になります。そして、関係構築の技法には、感情探索の技法と表出された感情に対応する技法があります。

1　なぜ関係構築の技法が必要なのか

　患者さんと良好なコミュニケーションには、なぜ関係構築の技法が必要なのでしょうか。

　人間の基本的な感情は、喜び、怒り、悲しみ、恐れがあります。これらの感情は、3つの方法により表現されます。たとえば、悲しいとき、ある人は「悲しい！」と口にするでしょう。ある人は肩をがっくりと落とし、目には涙を溜めて悲しみを表現するでしょう。また、ある人は、泣くという行動で、悲しみを表現します。このように、基本的感情は、**言語化**、**非言語化**、**行動化**というかたちで表現されます。患者さんの感情を引き出し、それについて言及することは、最も強力な患者-看護師関係につながり、効果的なコミュニケーションをつくるといわれています（Smith & Hoppe, 1991；Holmes, 1993）。

◀ 基本的な感情の例 ▶

　多くの患者さんは自発的に感情を表出することや，積極的に感情を表出することはしません。患者さんは，医療者に気がついてもらうことを期待して，サイン，非言語的メッセージを出します（Suchman ら，1997）。したがって，医療者は，積極的傾聴をしながら，患者さんの出す非言語的メッセージに注意し，患者さんの感情を把握することが患者さんとの良好な関係を構築するうえで求められています。

　時には患者さんの感情，特にネガティブな感情について苦手と感じる人もいるでしょう。しかし，患者さんのネガティブな感情が現れたときこそ良い関係を構築するためのチャンスなのです。患者さんのネガティブな感情は決して「パンドラの箱」ではありません。長い目で見たとき，そのときに素早く対応するほうが，早道なのです。もし，そのときに対

応することができず，患者さんがいったん表出した感情を飲み込んでしまったら，それは患者さんの心のうちに溜められて，どんどん深刻な状況となっていきます。心のうちに溜められて，その空間がいっぱいになって溢れ出てきたときは，とても対応の難しい感情になっていることが多いのです。

　たとえば，いつもは感情をあまり表出しない人が，いったん感情を表出すると，まるで火山が爆発したかのようになったのを経験したことがありませんか。その場合，きっかけとなった出来事に対してのみならず，過去の出来事にまでさかのぼって，感情が出されていませんでしたか。普段は友人に対して「あ，これは嫌だな」「本当はこうしてほしいな」と感じていても「小さなことだから」と思い，口には出さないことがあるのではないでしょうか。しかし，何かのきっかけで口喧嘩になると，今まで溜め込んでいた不満や感情が溢れ出し，「あのときもそうだった」など，過去のもう対応できないことにまで言及してしまいます。対する友人は，「そんな昔のこと，そのときに言ってよ」と困惑してしまいます。そんな経験はないでしょうか。

　患者さんの感情，特に悲しみや不満などのネガティブな感情は，溜め込むことがないようにその都度表出してもらい，そのときに対応しておくほうが，後々になって表出された感情に対応するよりも良いのです。

2　感情探索の技法

　感情探索の技法は，患者さんが感情を表出しないときや，感情が十分に表出されていないときに，感情を積極的に探る技法です。したがって，この技法は，患者さんの感情が表出されている場合には使用しません。
　具体的には，直接的な探索と間接的な探索で感情を探ります。

● **直接的な探索**

　直接的な探索は，患者さんに対し特定の感情をもっているのかを確認するために，「あなたはどのように感じましたか？」などの質問をして，十分に相手の感情を引き出すようにします。
　具体例を次に示します。

（検査の結果，患者さんの病名が乳がんだということが確定した状況）
看護師　「検査の結果，病名が確定しましたが，どうですか？」
患　者　「なんとも言えません**（少し困惑した様子）**」
看護師　「今，どのような気分ですか？」

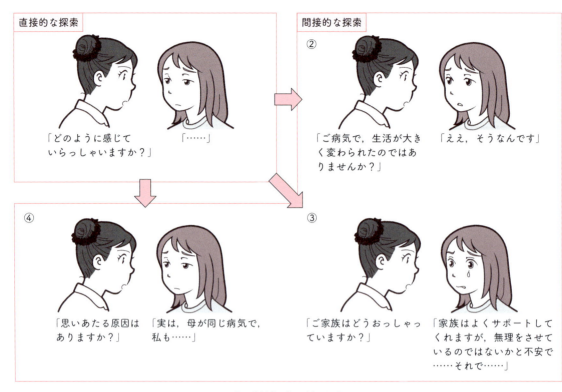

◀ 感情探索の技法 ▶

● 間接的な探索

　直接的な探索で引き出されなかった場合，間接的な探索を行います。間接的な探索は以下の4つの方法で行います。
　① 自己開示を行います
　② その状況や疾患などが患者さん自身の生活に与えた影響を問います
　③ その状況や疾患が患者さんのまわりの人に与えた影響を問います
　④ 患者さん自身が考える原因やなりゆきなどを問います
　①〜④の看護師の問いかけの具体例を下記に示します。

(直接的な探索では患者さんから十分に感情が表出されなかった状況)

　看護師　「以前友人が乳がんであることがわかったとき，彼女はとても驚き，悲しい気持ちと，なんだか状況を受け止められない気持ちとで，とても複雑な気持ちだったと言っていました」（①の場合）

　看護師　「今のあなたの状況は，あなたの生活にどのような影響を与えますか？」（②の場合）

看護師 「今のあなたの状況は，まわりの方にどんな影響を与えると思いますか？」(③の場合)

看護師 「今回の病気のことですが，なぜこうなったと思いますか？」「今回の病気は今後どうなっていくと思いますか？」(④の場合)

3 表出された感情に対応する技法

患者さんから感情が表出されたとき，表出された感情に対応する技法を用いて適切に対応することが大切です。表出された感情に対応する技法は，次のNURS◆を活用します。

N：Naming　感情の命名，ラベリング
U：Understanding　理解・正当化
R：Respecting　尊敬・賞賛・承認
S：Supporting　支持・協力

NURSは語呂合わせでつくられた言葉ですが，良好な患者-医療者の関係構築や，患者さんの感情に寄り添い対応するために重要です（Plattら，2001）。

◆word NURS

米国がん研究所では患者さんの感情に寄り添い，その感情に対応するためのコミュニケーションスキルとしてNURSEが推奨されています。日本看護協会では，患者さんの意思決定支援のためのスキルとしてこのNURSEを推奨しています（關本，2010，2013；日本看護協会，2014）。NURSEは，本文で述べたNURSに「E：Exploring探索」を加えたものです。通常，感情探索はNURSを活用する前に用いられますので，本書では感情探索とは区別し，表出された感情に対応する技法としてNURSとしています。しかし，感情に寄り添って対応する技法としては同じことなので，NURSEと覚えて活用すると良いでしょう。

● Naming　感情の命名，ラベリング

これは，患者さんから表出された感情に名前をつけることです。この命名により，患者さんは「私の話を聴いてくれた」「適切に認識してくれた」と感じることができます。ただし，命名をするときには，感情的なものよりも感情が少ない表現を使用すると良いとされています。たとえば，患者さんが何かに対して「今後の希望がもてない」と感情を表出しているとき，これを「絶望感」と命名するよりも，「今後のことについて困っているのですね」「今後のことについて落胆しているのですね」と表現したほうが良いです。

たとえ間違って命名してしまった場合であっても，患者さんが違和感を抱き，患者さん自身が修正してくれます。また，患者さんが自分では気がつくことができなかった感情に気がつくきっかけとなるかもしれません。

● Understanding　理解・正当化

これは，患者さんが表出した感情について理解し妥当だと認め，正当化することです。「あなたの今の状況でしたら，そう感じるのも無理はないですね」というように患者さんの経験している感情について理解を

示すことです．このことにより，患者さんの感情は正当化され，受け入れられ，妥当なものとなります．しかし，理解を示すためには，積極的傾聴がなされ，共感ができないと対応はできません．

● Respecting　尊敬・賞賛・承認

これは患者さんの努力を賞賛したり，認めることです．承認や褒め言葉などになります．たとえば，食事療法をがんばっている患者さんに対して，「よくがんばって続けていますね」という言葉がけや，「治療の効果が望めそうでいいことですね」などの言葉をかけることです．このことにより，患者さんのその行動をさらに強化することができます．賞賛や尊敬の言葉は，クロージングのときに「お話ができてよかったです」などの感謝を示す言葉も含まれます．

これは医療者がしっかり意識をして使わないとできない技法でもあります．

● Supporting　支持・協力

これはいつでも患者さんを支持（援助）できることを示す技法です．たとえば，「一緒にこの問題について考えていきましょう」という言葉や「いつでも何か困ったことがあったらおっしゃってくださいね」などの言葉があります．これらは一緒に問題について対応していくことや，いつでも協力（援助）できるということを示します．

たとえば，「リハビリをやってもなかなか思うように回復しない」ことを嘆いている患者さんに対して，

患　者	「リハビリをしても思うように良くならない……．良くならない」
看護師	「今はリハビリの効果が思うように出ていないと思っているのですね」（**感情の命名，ラベリング**）
患　者	「そうなのです．1日でも早く良くなろうと思って，病室でもリハビリをしているのですが，思うように足が動かなくて……」
看護師	「そうですよね，本当に良くやっていますよね．もし私がAさんと同じ状況だったら，やっぱりがっかりしちゃいますよね」（**理解・正当化**）
患　者	「こんなにやっているのに，良くならないのです」
看護師	「毎日病室でリハビリをがんばっていますよね．本当に良くがんばっていると思っていますよ」（**尊敬・賞賛・承認**）

看護師　「もう少し一緒に続けてみませんか？　私たちもリハビリに協力しますよ」(**支持・協力**)

4 良好なコミュニケーションには促進の技法を統合して活用する

このように患者さんの感情について言及することはより良い患者-看護師の関係構築のためにも重要です。しかし，良好なコミュニケーションを促進するためには，質問技法と関係構築技法を統合して活用することが重要です(図3)。

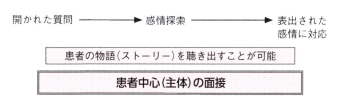

図3　患者中心(主体)の面接に必要な技法

具体的には以下のように活用します。

1. 開かれた質問を投げかけ，15〜30秒は焦点を絞らない開かれた技法を使用します。そして約2分間は患者さんに自由に語ってもらい，看護師は患者さんの話(患者さんの物語)に耳を傾けます。この過程においては，焦点を絞らない技法をまずはじめに活用しますが，途中で必要に応じて焦点を絞った技法も用います。

看護師　「今日はどうなされたのですか？」(**焦点を絞らない，開かれた質問**)
患　者　「頭が痛くてきました」
看護師　「いつからですか？」(**閉ざされた質問**)
患　者　「1週間前からなのです」
看護師　「では1週間前から今日にいたるまで頭痛のことをくわしくお話ししてください」(**焦点を絞った，開かれた技法**)

2. 患者さんが自由に語った内容を要約します。
3. 患者さんが語った内容(物語)にどのような感情があるのかを見出すために，感情探索の技法を活用します。まずは直接的な探索を行い，それでも見出すことができなかった場合は，間接的な探索を行います。この過程は1〜2分かかるといわれています。
4. 患者さんの感情が表出されたら，すぐに表出された感情に対応す

> **♦ word 患者の物語(ナラティブ)**
>
> ナラティブは物語の意味です。ナラティブ・ベースド・メディスン narrative based medicine：患者さんの物語と対話に基づく医療のことです。患者さんとの対話を通じて良い関係性をつくっていくために，物語に注目すると，非常に役に立つという考え方です。患者さんの解釈モデル(思い，考え方など)，物語を理解しようとする過程が良い患者−医療者の関係構築に結びつくのです。ナラティブに関しては，ナラティブアプローチやナラティブ・ベースド・メディスンなど多くの書籍がありますので，ぜひ読んでみましょう。

る技法を活用します。ここでは NURS の技法を組み合わせながら活用します。この過程において患者さんは自分の物語(ストーリー)を語ることが可能になり，医療者主体ではなく，患者主体の面接になります♦。

引用文献

- Holmes J. (1993). Attachment theory：a biological basis for psychotherapy? The British Journal of Psychiatry, 163, 430-438.
- 日本看護協会 がん医療に携わる看護研修事業特別委員会(編). (2014). 厚生労働省委託がん医療に携わる看護研修事業 看護師に対する緩和ケア教育テキスト[改訂版]. 日本看護協会.
- Platt FW, Gaspar DL, Coulehan JL, et al. (2001). "Tell me about yourself"：the patient-centerd interview. Annals of Internal Medicine, 134(11), 1079-1085.
- 關本翌子. (2010). 看護師のための患者の感情表出を促進させるコミュニケーション・スキル"NURSE". 看護管理, 20(6), 488-491.
- 關本翌子(編). (2013). 「NURSE」の活用法がイメージできる緩和ケアのコミュニケーションスキル CASE レポート. プロフェッショナルがんナーシング, 3(5), 503-526.
- Smith RC, Hoppe RB. (1991). The patient's story：integrating the patient-and physician-centered approaches to interviewing. Annals of Internal Medicine, 115(6), 470-477.
- Suchman AL, Markakis K, Beckman HB, et al. (1997). A model of empathic communication in the medical interview. The Journal of the American Medical Association, 277(8), 678-682.

第7章 確認テスト

1. 表出された感情に対応する技法を4つ述べなさい。

2. 良好なコミュニケーションを促進するために統合して活用する技法を述べなさい。

解答 ▶ 139頁

第 8 章 看護面接のプロセスの 13 STEP

学修目標

この章は，STEP 1～13で構成されます。それぞれのSTEPでの目標をあげます。
- □ STEP 1：面接の準備について具体的に述べることができる
- □ STEP 1：オープニングの内容を述べることができる
- □ STEP 2：面接開始時に何をどのように聴くのかがわかる
- □ STEP 3～12：面接の流れをイメージすることができる
- □ STEP 13：クロージングの内容を述べることができる
- □ 解釈モデルを明らかにする方法を列挙できる
- □ より良い看護面接には，患者中心の面接と医療者中心の面接を統合することが重要であることがわかる

1　患者中心の面接

　これまでの章では，コミュニケーションスキルに焦点をあてて紹介してきました。この章では，入院患者さんに焦点をあてた具体的な**看護面接**について説明します。**看護面接**では，特に導入部分が看護学生や若い看護師では難しいと感じられるかもしれませんが，この章の内容を学修することでスムーズに対応できます。

1）STEP 1　看護面接の準備

(1) 面接の準備

　面接を行う前に，面接の環境因子に配慮します。具体的に以下のことを配慮します。

① **患者さんの安らぎとプライバシーが守られるように配慮をする**
- 患者さんが座る椅子やその位置を整えます。特に入院患者の場合は予定している時間内に体調が悪くなることもありますので，その点も事前に考慮します。
- 病室のカーテンを閉めることや，第三者に話の内容が聞こえない場所を用意します。

- 状況によっては感染予防のために必要なマスクやゴーグル，またはフェイスシールドなどを準備します。

② **面接の中断や気が散るような状況を最小限にする**
- 患者さんと十分に話ができる時間を確保するために，看護師の時間を調整して，ほかの仕事で話を中断することがないようにします。
- 患者さんの予定を確認し，話に集中できるような時間に行います。
- 患者さんの了承を得て，携帯電話の電源を切る，もしくはマナーモードにしてもらい，テレビ・ラジオなどは消すようにします。

③ **自分自身の個人的な問題・価値観・先入観を排除するとともに，自分の感情の準備をする**
- 入退院を繰り返す患者さんや，何かにつけて一言を口にする患者さんも存在します。この場合にその方を「コントロールの悪い人」「いつもクレームを言う人」などと先入観をもつことがないようにします。
- 完全に個人的な問題・価値観・先入観をなくすことは困難です。しかし，このことを意識するかしないかでは大きく結果が異なります。「私はあの患者さんについて先入観があるから，先入観にとらわれないようにしよう」と意識して接するように自分の感情の準備をすることが重要です。
- 看護師も1人の社会人ですので，私生活や職場においてさまざまなことがあるでしょう。家族とけんかをして出勤するときや悩みを抱えているときもあります。しかし，自分の個人的な問題については，面接時には排除するように努めます。
- 人はさまざまな価値観をもっています。自分とは合わない価値観の患者さんもいます。そうであっても，まずは相手の価値観をそのまま受け入れるように準備します。

④ **患者の情報の見直しをする**
- 患者さんの氏名・年齢・性別・主訴などの情報はすでにカルテに記載されています。したがって，面接の前の準備として，それらの情報を再度確認することは重要です。患者さんの信頼を得るためにも大切です。

⑤ **手洗いや看護師自身の身だしなみを整える**
- 患者さんとの面接前に，手洗いをすることや身だしなみを整えることは，患者さんを1人の人として尊重する態度を示すことになります。汚れた白衣や，ボタンが外れていないか，口臭や体臭はどうかをセルフチェックしましょう。

(2) オープニング

オープニングは患者さんを迎え入れる，もしくは，患者さんのもとへ

行き患者さんと対面する場面です．挨拶，患者確認を通して，患者さんを主体とする(話やすい)雰囲気づくりをすることです．オープニングでは，第一印象を良くして，「この人には話せる」「話しやすそう」「なんでも話していいのだ」と患者さんが感じることができるようにします．具体的に以下のことを配慮します．

① **患者さんとの対面をする**
- 患者さんを尊重した態度を示します．特に初対面の場合，どんな人でも少なからず緊張します．したがって，笑顔で挨拶をしながら対面をします．

② **患者さんの名前を確認する**
- 患者さんの名前を確認するにはいくつかの方法がありますが，可能な限り患者さん自身にフルネームを名乗ってもらいましょう．名乗っていただくことが難しい状況では，フルネームで名前を確認します．同姓同名の可能性がある場合は，生年月日や住所なども併せて確認します．
- 高齢者は，うまく名前が聞き取れなくても「はい」と返事をしてしまう場合があります．このような場合には，再度ゆっくりと伝え，確実に確認することが大切です．

③ **自分の名前・立場を告げる**
- 自分の名前と立場を告げます．特に学生の場合は，学生であることをしっかり告げることが必要です．このとき，患者さんと目線を合わせることが大切です．たとえば，患者さんが椅子に座っている場合やベッドに臥床されている場合は，少し膝を曲げて目線を合わせるようにします．
- 床に膝をつけて挨拶をすることは，目線がちょうど合って良いと感じるかもしれませんが，**感染の視点からは良くありません**．腰や膝を曲げることで十分に患者さんには伝わります．
- 逆に医療者が椅子に座っていて，患者さんがその部屋に入室されたときのように，患者さんが立っている場合は，迎え入れる医療者も立ってはじめの挨拶をすると，患者さんを尊重・歓迎していることを伝えることができます．

④ **話すことの目的・必要な時間を告げ了解を得る**
- 入院中の患者さんであっても，時間は患者さんのものです．入院中の患者さんの場合，食事やリハビリ，もしくは家族との面会が予定されているかもしれません．したがって，目的・予定している時間を告げたうえで，話をすることの了解を得ます．
- 体調が悪くて話をすることがつらい状況もあるかもしれません．このような場合は，別時間を設定することも大切です．

⑤ コミュニケーションの障壁を取り除く
- 面接の準備でも配慮しましたが,病室で行う場合,テレビやラジオなどがついている場合もあります。また,高齢者など,医療者の声がよく聞こえない場合もありますので,「私の言葉は聞き取りにくいことはありませんか?」などの確認をすると良いです。特に感染予防のために,マスクやフェイスシールドを着用する場合は,必ず確認しましょう。

⑥ **患者の安楽に配慮する(安楽かどうか,状態を確認)**
- 患者さんが落ち着いて話ができる状態かどうかを確認します。ベッドに臥床中の患者さんの場合,患者さんの首の位置が不自然でないかを確認します。患者さんが臥床した状態でも看護師の顔が見える位置に座ります。「この姿勢でつらくないですか?」と確認することも必要です。

ここまでの内容について,下記に実践例(具体例)を示します。

看護学生	「こんにちは。私は○×大学看護学部1年生のXXX子です」(フルネームで自分の名前と立場を告げる)
看護学生	「お名前をフルネームで教えてください」(**氏名の確認**)
患　者	「YYYYです」
看護学生	「ありがとうございます。これからYさんに入院生活について15分ほどお話ししたいのですが,今お時間よろしいでしょうか?」(**目的と時間を告げ了承を得る**)
患　者	「いいですよ」
看護学生	「カーテンを閉めさせていただきますね。こちらに座ってもいいですか?」(**プライバシーに配慮し,患者と話しやすい位置を確認する**)
患　者	「はい,どうぞ」
看護学生	「姿勢はつらくはないですか?」(**安楽かどうかを確認する**)
患　者	「大丈夫ですよ」
看護学生	「もし,体調が悪くなりましたら,いつでも遠慮なくおっしゃってくださいね」(**安楽への配慮**)
看護学生	「私の声はこのくらいで聞こえますか?」(通常はこれまでの会話で聞こえ方を確認できるので,この言葉は不要である。しかし,少し声のトーンや大きさを意図的に変える場合などは,確認しておくほうが良い)
患　者	「ええ」

> **Column** 認知機能が低下している患者さんとのコミュニケーション
>
> 認知症などで認知機能が低下している患者さんとのコミュニケーションであっても，1人の人としての尊厳を守ることはいうまでもありません。「話をしても通じない，わからない」という姿勢ではなく，目線を合わせて大きな声でゆっくりと会話をします。その際は子どもに話すような言葉を使用する，否定・訂正をする，途中で話を打ち切ることをしてはいけません。認知機能が低下している人は不安を抱えています。驚かせることなく，安心できるようなコミュニケーションを心がけましょう。

2）STEP 2　面接開始から情報収集

　STEP 2 では，患者さんの主訴やそのほかの心配事など，患者さんが抱えている解決すべき課題を聴くことに集中します。患者さんは何を求めているのか，患者さんの関心があることは何か，患者さんは何を取り上げてほしいのかを患者中心の面接を進めながら聞き取ります。

　具体的には，入院してきた患者さんの場合，「今回はどのような目的で入院されたのですか？」のようにまずは開かれた質問 open ended question で尋ねます。そして，回答が返ってきたらさらに促しをかけます。

　以下に実践例（具体例）を示します。

看護師　「今回はどのようなことで入院されたのですか？」
患　者　「乳がんと診断されて，手術のためにきました」
看護師　「乳がんと診断されて手術目的で入院されたのですね。（**繰り返し**）
　　　　そのことについて具体的にお話ししてください」（**さらなる開かれた促し**）
　　　　もし，ここで患者さんが答えに困っているようであれば，
看護師　「いつ診断されたのですか？」（**閉ざされた質問**）
患　者　「2 か月前の健康診断です」
看護師　「2 か月前ですか。それでは，2 か月前の健康診断から今日までの経過を時間に沿ってお話しいただけませんか？」（**開かれた促し**）

　この STEP 2 では，解決すべき課題をしっかりと聞き出すために，今まで学修したさまざまな技法を活用します。

　まずは患者さんに自由に語っていただき，積極的傾聴を行います。その中で患者さんの感情が表出された場合，共感・反復・繰り返しの技法や NURS の技法で対応します。そのことで，患者さんは「自分の話を聴いてもらえた」「わかってもらえた」「この人になら話ができる」「どんな

とでも話してよいのだ」と感じることができるのです。そして，良好な患者-看護師関係の構築が可能となります。そしてこの過程をきっかけとして，患者さんの解釈モデルを聴くことができるのです。

解釈モデルを明らかにするには

解釈モデルとは，患者さんが自分の今の病状や状態を，どのように理解し，解釈し，どのような見通しをもっているか，患者さん自身の病気に対する視点です。患者さんと看護師の解釈モデルが一致することが良い医療につながります。解釈モデルは，以下を確認することで，明らかにできます。

- 何を一番問題に思っているか
- 何か思いあたる原因があるか
- どのくらいの期間問題を抱えているのか
- どの程度のひどさだと思うか
- 何もしないとどうなりそうか（峠は越えた？　悪くなりそう？）
- そのために何が一番困っているのか
- 今何が一番心配か
- どんなケアをのぞんでいるのか

3) STEP 3・4　さらなる情報収集

患者さんがある程度自由に思いを語り終えたら，内容を要約して患者さんに確認したうえで，次のSTEP 3へうつります。つまり，STEP 2で患者さんにとって取り上げてほしい点が明らかになったところで，徐々に医療者中心の面接にうつるのです。

(1) STEP 3　現病歴（主訴）

STEP 3では，現病歴を訊きはじめます。現病歴とは現症のことです。つまり，主訴（今の病気）が，いつからはじまり，どのような経過をたどったのかなどのことです。この現病歴は患者さんの現在の健康状態と生活にかかわるため，重要です。

以下のように促進の技法を効果的に使い訊きはじめます。
① 患者さんが気軽に話せるような雰囲気と積極的傾聴に努めます。
② 聞かれた質問 open ended question できっかけをつくり，沈黙・あいづち・非言語的促しを活用しながら患者さんの話を促進します。
- このとき，患者さんの非言語的なメッセージやそのほかの言葉以外の情報にも留意します。ここで留意すべき言葉以外の情報とは，患者さんのベッド周囲に置かれた物（写真，お見舞いの品，手紙など）や置かれた物品の整理状況などです。たとえば，高齢

者の場合，孫が書いた絵や手紙などをベッドサイドに飾っていることがあります。これらの絵などが患者さんの生活を知るためのきっかけとなることもあります。

STEP 3 は，訊きはじめの導入であるため，通常は 30 秒程度とされています（Smith，2002/2003）。

(2) STEP 4　現病歴（身体症状）

STEP 4 では，STEP 3 に続いて患者さんの現病歴を訊きます。具体的には，まずは身体症状に焦点を絞り，以下のように訊きます。

① 聞かれた質問 open ended question を活用して訊きます。
② 患者さんは非常に重要な情報をこのときに語ることが多いとされます。したがって，身体症状について語られる患者さん自身の言葉にじっくり耳を傾けます。
③ 身体症状に関する個人的・心理社会的背景◆について訊きはじめます。一見，患者さんの身体症状との関連はあまりないように感じるかもしれませんが，患者さんに起こっている事実や抱えている問題を理解するためには重要な情報です。
④ 患者さんの感情面に焦点をあて，患者さんの感情の動きを聴き，患者さんの感情と向き合います。この過程では，**関係構築の技法の感情探索の技法**を活用します。患者さんから感情が表出されたら，速やかに表出された感情に対応する技法 NURS（→ 71 頁参照）を活用します。

ここまでの過程で患者さんが思い（**解釈モデル**）を語ることができ，表出した「感情に対して適切に対応された」「私を理解してもらえた」と患者さんが感じることができれば，良好な患者-看護師関係へとつながります。つまりこの STEP では疾患のみではなく，患者さんの「病の体験」も聴くことが大切です。

◆word **身体症状に関する個人的・心理社会的背景**
心理的・社会的ストレスなどが適切に対応されずにいると次のような疾患を引き起こします。胃潰瘍，メニエール症候群，頸肩腕症候群，十二指腸潰瘍，うつ病，過敏性腸症候群，円形脱毛症，高血圧症，インポテンツ，関節リウマチ，神経症，自律神経失調症，過換気症候群，更年期障害，気管支喘息，神経性胃炎，甲状腺機能亢進症，不眠症，緊張型頭痛などです。つまり，個人的・心理社会的な背景が身体症状を引き起こします。

2　医療者中心の面接への移行

ここからの過程では，患者中心の面接から医療者中心の面接へ切り替え，これまでに患者さんが話された身体症状に関する情報をさらに深めていきます。

これまでの STEP で患者さんの全体像◆（身体症状が日常生活内でどのように出現しているかなど）を把握するための情報は得られています。また，医療者中心の面接の過程においても，患者さんから感情が表出された場合は，表出された感情に対応する技法を活用し丁寧に対応するこ

> ◆ word 患者さんの全体像
>
> 私たち人間は身体的側面のみならず,心理的側面,社会的側面,霊的側面をもちあわせていますので,1人の患者さんを看護の対象として見つめるときには,患者さんの身体的側面だけを見ていては,良い看護が提供できません。したがって,患者さんのあらゆる側面からの情報を得て患者さんの全体像を把握することが重要です。そのためにも,患者さんとの信頼関係を築くこと,つまりコミュニケーションスキルを修得することが必要となります。

とが大切です。つまり,この過程においては**患者中心の面接へ再度移行**することもあります。

1) STEP 5　医療者中心の面接への移行

STEP 5では,患者さんが語った内容を簡単に要約し,それが正しいか確認します。そうしたうえで,「ここまでのところをまとめますと,〜でよろしいですか? ではここから○○さん自身のことについて具体的に訊かせていただきますね」などの言葉で,質問の中身と聞き方が替わるのを告げて患者さんに心構えを促します。

2) STEP 6　医療者中心の面接

STEP 6では,閉ざされた質問 closed question を用いてシステマティックに訊きます。ここで訊く内容は,ここまでの過程で語られた現病歴の続きと,そのほかに現在困っている問題などです。

3) STEP 7　身体症状で困っていること

ここでは,身体症状について明確に訊きます。つまり,患者さんより語られた情報や,まだ示されていない関連する症状や一般的な健康状態(問題),また症状が意味している可能性のある問題についての確認を行います。

具体的には,以下の内容を訊きます。

- 症状の部位
- 性質
- 度合い
- 時間的経過(いつから発症したのか,持続時間,周期性かどうかなど)
- 症状が起こる状況
- 調節因子(増悪因子:どうするとひどくなるか,寛解因子:どうしたら良くなるか)
- 随伴症状

患者さんは,上記の項目について独自の表現で話されることがしばしばあります。そのときには,医学的な視点から何を意味するのか考えます。その後に,再度患者が理解しやすい言葉を活用して確認をします。このことで,患者の身体症状をくわしく把握することが可能になります。たとえば,「ブルーな気分です」という言葉について,「気分が落ち込んでいるのですね」などに言い換え確認をします。また,紛らわしい情報は区別することも必要です。つまり,患者さんが語った情報の中でも,身体症状を把握できる情報に注目することが必要です。

そして,ここでは,患者さんが語る個々の症状や問題を正確に把握するようにします。

4) STEP 8〜STEP 12　社会問題，既往歴，社会歴，家族歴，システムレビュー

　ここからのSTEPではルーチン化されている一般的な内容です。多くの場合は，チェックリストのような形式で訊くべき内容が記載されているものを活用して実施します。患者さんによって必要な情報を選択して訊きます。

(1) STEP 8

　STEP 8は，倫理的・社会的・霊的な問題や，日常生活動作（activities of daily living：ADL）の状況など機能的な状況，健康習慣や健康維持活動に関する情報，健康に悪影響を与える可能性のある習慣など健康問題を訊きます。特に危機的な状況では，患者の霊的（宗教，信念，信条など）な情報が重要となります。

(2) STEP 9　既往歴

　STEP 9は，既往歴です。過去の病歴，手術の経験，外傷の経験，薬の使用歴，輸血の経験の有無，アレルギー（食物・薬品）などを訊きます。時に「今まで大きな病気をされたことがありますか？」という質問では，患者さんの既往歴によっては回答が異なります。たとえば，心臓の手術を経験した患者さんは，虫垂炎の手術は大きな病気という認識がないかもしれません。一方で，虫垂炎しか経験したことがない患者さんにとっては，虫垂炎の手術は大きな手術と感じているかもしれません。したがって，「大きな病気をされたことがありますか」より「今まで入院や手術を経験されたことがありますか」と尋ねたほうが良いでしょう。

(3) STEP 10　社会歴（生活歴）

　STEP 10は，社会歴（生活歴）です。つまり，患者プロフィール，個人的心理的問題や現在問題とはならない一般的個人データを訊きます。患者さんが今までどのような生活を営んできたかの経過記録になります。具体的には，教育背景，家族，職業，住環境，食生活，飲酒，普段の健康管理状況，喫煙，運動・休息・睡眠，1日の過ごし方，生活リズム，月経，妊娠・分娩などになります。これらは対象によって必要な情報が異なります。また，場合によっては踏み込んだ内容を訊くことになりますので，守秘義務の観点から細心の注意が必要となります。

(4) STEP 11　家族歴

STEP 11 は，家族歴です。家族構成とその病歴について訊きます。たとえば「ご家族は何人ですか」「血のつながった方で，ご病気の方はいらっしゃいますか」などの言葉で，高血圧，脳血管障害，糖尿病，遺伝に関する病気，がんなどについて訊きます。

(5) STEP 12　システムレビュー

STEP 12 は，システムレビューです。過去から現在までの，既往歴や生活歴などを訊き，身体的状況について系統的に観察などを行い，問題を整理します。インタビューの後半にほかに問題がないかを確認する意味でも行います。しかし，先に述べたように，個々の患者さんに必要な情報を選択して訊きます。

またこのほかにも，身体面では視力，聴力，認知能力の確認や，主な面会者，キーパーソン，病気の受け止め方，心配なことなども訊きます。

5) STEP 13　クロージング

STEP 13 では，面接での内容を要約し，患者さんに医療者が理解した内容を伝えます。そして聞き漏らしや，質問がないかを尋ねます。ドアノブクエスチョンとも呼ばれていますが，面接の最後に患者さんが今まで語られなかった問題や，患者さんが最も関心のあることを語る場合もしばしばあります(White ら，1994)。

最後に患者さんにお礼を述べ，締めくくりの挨拶をします。このときに，「お困りのことがありましたら，いつでも看護師に声をかけてください」などの支持・協力を示す言葉も加えると良いでしょう。

以下に実践例(具体例)を示します。

看護師　「これまでの話をまとめさせてください。～(要約)～でよろしいですか？」
患者　「はい」
看護師　「ほかになにか話しておきたいことや，聞いておきたいことなどありませんか？」
患者　「ないです」
看護師　「それでは，これで終わりにいたします。今日はお時間をくださりありがとうございました。また何かお困りのことなどがありましたら，いつでも遠慮なく看護師に声をかけてくださいね」

> **Column** 地域・在宅における看護面接の13ステップ
>
> 　地域・在宅看護の場面においてはSTEP 1～4，およびSTEP 13は共通していますが，そのほかについては臨機応変に行います。訪問時間が限定されていることや，事前にある程度基本的な情報を確認したうえで訪問しているからです。しかし，時間が限定されているからといってオープニングとクロージングを省略することは，信頼関係の構築に影響しますので，丁寧に行いましょう（詳細な事例は『事例から学ぶ地域・在宅看護論』第2章 pp24～25参照）。

3　統合された看護面接

　医療面接のプロセスは12のSTEPで構成されていますが（Smith, 2002/2003），クロージングは非常に重要と考えますので，看護面接では13のSTEPで構成することが良いでしょう。

　STEP 1では面接の準備，オープニングを行い，STEP 2～STEP 5で患者中心の面接を行い，心理社会的データと身体症状について訊きます。そして，STEP 6～STEP 12では医療者中心の面接を行い，身体症状を中心にそれに付随する心理社会的データを訊きます。最後に，STEP 13で面接を締めくくります。

　患者中心の面接と医療者中心の面接を統合することで，患者さんの生物心理社会的物語を聴くことができます（図4）。

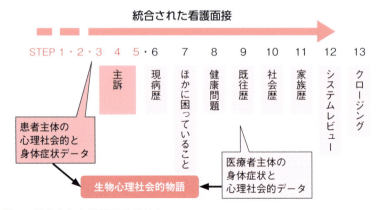

図4　統合された看護面接の流れ
〔Smith RC./山本和利（監訳）．(2002/2003). Patient-centered Interviewing: An Evidence-based Method, 2nd ed. Lippincott Williams & Wilkins. ／エビデンスに基づいた患者中心の医療面接，診断と治療社，p102 図5-1をもとに筆者作成〕

> **参考図書**
>
> **「病院の言葉」をわかりやすく**
> 　国立国語研究所では，患者の理解と判断を支えるために，「病院の言葉」をわかりやすくするための委員会を設立し，さまざまな提案をしています。
> 　医療者が使用する言葉を非医療者にわかりやすく伝えるための工夫例が示されています。インターネットで紹介されているほか，書籍も出版されています。
> - 国立国語研究所「病院の言葉」委員会(編)．(2009)．病院の言葉を分かりやすく―工夫の提案．勁草書房．
>   国立国語研究所　http://www.ninjal.ac.jp/info/disclosure/kokken/075/010/
>
> **医療面接　根拠に基づいたアプローチ**
> 　この書籍は臨床能力の基本となる医療面接法について，さまざまな根拠を示しながら具体的な方法が示されています。医療面接は医師が行うものですが，この書籍に書かれている医師を看護師へ，医療面接を看護面接へ言葉を置き換えて読むと良いでしょう。
> - 伴信太郎(監修)，向原圭．(2006)．医療面接―根拠に基づいたアプローチ．文光堂．

引用文献

- 篠崎恵美子，藤井徹也．(2021)．事例から学ぶ地域・在宅看護論 訪問時のお作法から実習のポイントまで．pp24-25．医学書院．
- Smith RC./山本和利(監訳)．(2002/2003)．Patient-centered Interviewing：An Evidence-based Method, 2nd ed. Lippincott Williams & Wilkins./エビデンスに基づいた患者中心の医療面接．診断と治療社．
- White J, Levinson W, Roter D. (1994). "Oh, by the way…"：the closing moments of the medical interview. Journal of General Internal Medicine, 9(1), 24-28.

第8章 確認テスト

あなたは，A大学の看護学部1年生です。
本日は基礎看護学実習ⅠのためB病院で実習中です。
実習の目標は，患者さんとコミュニケーションをとることです。
指導者から「Cさんに許可を得たので，今から20分ほど患者さんとコミュニケーションをとってきてください。今日は，患者さんに入院について思っていることを聴いてきてください」と言われました。
オープニングでのあなたの言葉を書きなさい。

解答 ▶ 139頁

第9章 看護面接のトレーニング

> **学修目標**
> - □ コミュニケーションのトレーニング方法を述べることができる
> - □ コミュニケーションの評価表の項目と評価の視点がわかる
> - □ コミュニケーショントレーニングのシナリオには解釈モデルが存在することがわかる
> - □ フィードバックの伝え方を述べることができる

1 コミュニケーションスキルトレーニングの方法

　コミュニケーションはスキルですから，トレーニングをしなければうまくはなりません。自転車や自動車の運転をイメージしてください。どんなに丁寧に運転方法を教えてもらったとしても，すぐに運転ができるでしょうか？　練習を重ねて，うまく運転ができるようになるのではないでしょうか。はじめは舗装されたまっすぐの道でしか運転できなかったものが，経験回数を重ねることで，でこぼこの道や，登坂なども運転できるようになったのではないでしょうか。

　コミュニケーションも同様に，トレーニングを重ねることで習得されます。マグワイヤ(1986)はインタビュースキルの習得のためには，講義や教員のデモンストレーションだけでなく，実際にトレーニングすることや，適切なインタビューのモデルが必要であると述べています。さらにトレーニングについても，適切に計画されていることや，模擬患者さんの活用，適切な評価表とフィードバックが必要であるとも述べています(Dickson ら，1989)。

　この章では，トレーニング方法(シミュレーション)について述べます。

　それぞれのトレーニング方法には，利点や欠点があることも理解して学習することが大切です。特に，講義や演習の時間以外に学生同士により学びを深めるときには，トレーニング方法の特徴をとらえて実施することが大切です。学習の目的，学習者の状況などを考慮してトレーニング方法の選択をします。

1）ロールプレイ／ロールプレイング

ロールプレイ／ロールプレイング（roleplaying）とは，「ある問題状況を設定して，その中で一定の役割を演じて討論させ，そこから問題点と解決法を探り出すことを目的とした問題解決法のことで，通常，2人以上の参加者に役割と場面を与えて，グループの前で実演することで進められる」とあります（医学医療教育用語辞典，2003）。コミュニケーションの教育方法の1つで，役割演技法とも呼ばれます。実際に起こる可能性のある場面を設定し，複数の人がそれぞれ役を演じることで疑似体験します。その体験を通して，実際の場面において適切に対応ができるようにする教育方法の1つです。

たとえば，簡単な状況とシナリオを設定し，看護師役と患者役に分かれて，インタビューのトレーニングを行うことなどがあります。学生同士で与えられた役割を演じる最も簡単なシミュレーションの形態です。

ロールプレイの利点としては，以下のことがあります。

- 対人関係を学修できる
- 感受性，洞察力を向上することができる
- 自己反省できる
- 他人の立場を理解できる
- 自主性・創造性を高めることができる
- 自由に状況を選定でき，比較的簡単に実施できる
- 現実感や興味，満足感を得ることができる

ロールプレイの欠点としては，以下のことがあります（→解決策例）。

- 演技するために時間と場所が必要となる→必要な時間や場所を考えます
- 演技をすることへの抵抗や，照れがある→主体的に参加します
- 演技をすることや，観察されることに対して演技をする者が緊張する→自らの方法で緊張緩和をします
- ある程度の演技力が必要とされる→常に自己の体験を振り返り，他者の演技やフィードバックを参考にします
- 演技をする者が経験したことがない事柄は，演じることができない→自分の可能な事例を演じます

ロールプレイ時の留意点は以下のとおりです。

- シナリオ設定は，自分の状況に合っていて，演じることが可能か確認する
- 設定された場面や状況に応じて感情を込め演じる

- 台詞だけを口にするのではなく，非言語的メッセージも取り入れ演じる

ロールプレイの進め方
① 準備

　シナリオを読み，場面，状況，演じる役柄などをイメージします。このとき，看護師役と患者役は各自シナリオの内容を相手役には決して見せないようにします。

② 実演

　シナリオに基づいて演技をしますが，アドリブなども可能です。シナリオに設定されていない事柄を質問されたときや，また演じる中で必要だと感じた内容は言葉や非言語的なメッセージとして発信します。このことで，演じている立場をより理解することができます。またリアリティが増します。

③ シェアリング

　体験を分かちあいます。お互いに演じて気がついたことを述べ，共有します。さらに，学修目標に照らしあわせて，観察者や教員が演技内容についてのフィードバックを行います。患者役からのフィードバックは，抽象的な事柄ではなく，具体的な事実を示しながら，そのときにどのように感じたかフィードバックすると良いでしょう。具体的なフィードバックの方法は後述します。

2) 模擬患者参加型

　模擬患者には，一般模擬患者(simulated patient)と標準模擬患者(standardized patient)があります。いずれも SP と呼ばれています。一般模擬患者は，患者さんの症状や気持ちをシミュレートできるように訓練を受けています。標準模擬患者は，一定のレベルで標準化(反復して同じ患者像を演じることができるように)訓練されており，試験や評価に活用されています。いずれの SP も健康な一般市民が，設定された患者さんの身体的・精神的・社会的な状況をリアルに再現できるようにトレーニングされています。

　模擬患者の活用は，1964 年に米国の医学教育ではじまりました(Barrows & Abrahamson, 1964)。日本では，日野原重明先生が模擬患者を紹介し，その必要性を唱えました。現在では，日本の医学・薬学・歯学教育において，コミュニケーションスキル獲得のために必要不可欠な存在となっています。

　さらに，医学・薬学・歯学教育における全国共用試験の「医療面接」では模擬患者が参加し，コミュニケーションスキルの評価のツールとして

活躍しています。近年は看護教育においてもコミュニケーション技術，フィジカルアセスメント技術，患者教育技術，日常生活援助技術，看護過程展開技術，客観的臨床技能試験(obstructive structured clinical examination：OSCE)などでSPが活躍しています。

模擬患者参加型の学修では，以下のこと(利点)が期待できます。

- 模擬患者の協力を得ることができればいつでもどこでもできる
- 何回でも繰り返し実施してくれるため，理解が深まる
- 常に同一の患者さんの設定を利用できる
- 患者さんの状況や条件を調節することで，複数の事例を学修できる
- 患者さんに関する議論をその場(患者さんの目の前)でできる
- 安心して複数回の練習ができる
- 模擬患者からフィードバックが得られる
- 時間の制約がない

一方，模擬患者参加型の学修では，以下のこと(欠点)に注意します(→解決策例)。

- 学生として緊張感を感じる場合がある→自らの方法で緊張緩和をします
- 現場の状況とのずれ(セッションの場所が病室でない，教員や学生が見ているなど)が生じるときがある→設定をしっかりと考えながら受講します
- 教員(ファシリテーター)の役割が重要である→自己学修のときには，教員に協力してもらう
- なんとなくできるような気になってしまう→単元目標を確認して受講する

模擬患者参加型看護教育の効果としては，以下のことがあります。

- 訓練の段階で患者さんへの対応が円滑に進み，臨地実習での成功体験をイメージすることが可能となる
- 準備段階から患者さんへのかかわり方や，患者さんとの対人関係を結んでいくことを関連づけられ，はじめての実習に経験が活かされる
- 模擬患者からのフィードバックは，患者心理を理解するために効果がある
- リアリティや緊張感のある環境で学修することができる
- コミュニケーションの重要性が認識できる
- 患者さんに対する態度の形成ができる

3）バーチャル患者

　バーチャル患者とは，仮想世界（virtual world）に設定された，つまりコンピュータ上に構築された世界に存在する患者のことです。日本ではまだ多くはありません。

　ゲーム感覚で学修することが可能ですが，仮想世界の特徴をよく理解したうえで，必要に応じて選択することが良いとされています。つまり通常のトレーニングを実施することが困難な場合には適しているとされています。

2　コミュニケーション評価の視点

　コミュニケーションの評価表と評価の視点は表1のとおりです。

　評価は，オープニング5項目，クロージング2項目，良好なコミュニケーション14項目，面接全体の流れ・円滑さの2項目の23項目から構成されます。

表1　評価表と評価の視点

コミュニケーション評価表

A．オープニング

1	コミュニケーションの目的を相手に告げ，了承を得る	コミュニケーションの目的を告げ，了解を得る
2	同じ目の高さでの挨拶	相手の視線の高さに合わせる
3	自己紹介	フルネームまたは姓のみ，明確な発音で行う
4	名前の確認	フルネームで確認する
5	冒頭で患者さんの訴えを十分に聴く	話のはじめに開放型質問を用いて十分に話を聴く

B．クロージング

6	聞き漏らしや質問がないか尋ねる	話していないことや，質問がないかを訊く
7	締めくくりの挨拶・お礼を述べる	何かあればいつでも話ができることを伝え，挨拶をする

C．良好なコミュニケーション

8	身だしなみ	ユニフォームが清潔で，全体の印象が不快感がなく，清潔感がある
9	顔の表情	話の内容，状況にあった表情である
10	適切な声の大きさ	相手の状態にあった声の大きさ
11	適切な話のスピード	相手の状態にあった話のスピード

（つづく）

表1 評価表と評価の視点（つづき）

12	適切な声の音調	相手の状態にあった声の音調
13	丁寧な言葉でわかりやすい言葉づかい	相手を尊重した丁寧でわかりやすい言葉を用い，専門用語を使わない
14	適切なアイコンタクト	質問するときだけでなく，相手の話を聴いているときも
15	適切な姿勢	足を組まない，頬杖をつかない，背筋を伸ばす
16	適切な態度	時計をちらちら見る，ペンをまわすなどをしない
17	適切な距離・位置	相手との位置関係に注意する，相手の心理状況に応じて斜め45度・真正面・平行の位置で適切な距離を保つ
18	開放型質問を用いた積極的な傾聴	話の冒頭以外でもできるだけ開放型の質問を用いて自由に話せるように配慮する
19	コミュニケーションを促進させる言葉がけ・うなずき・あいづち	話を聴いていることを言葉ないし態度で相手に伝える
20	共感の言葉がけ・態度	相手の気持ちやおかれている状況に共感していることを言葉ないし態度で伝える
21	適切な要約	相手の話や，経過について相手の言葉を使って適切に要約する

D．全体を通した流れ・円滑さ

22	面接全体を通した順序立ち	話が系統的であまり前後しない
23	面接全体を通した円滑さ	流れに沿った円滑な面接

〔公益社団法人医療系大学間共用試験実施評価機構医学系OSCE実施小委員会・事後評価解析小委員会．診療参加型臨床実習に参加する学生に必要とされる技能と態度に関する学習・評価項目 第2.8版（平成26年7月31日）．医療系大学間共用試験実施評価機構をもとに筆者作成〕

3　模擬患者とのトレーニング

　先にも述べましたが，模擬患者参加型のトレーニングの場合，シナリオ準備や模擬患者のトレーニングなど，さまざまな準備が必要となります。

1）シナリオと解釈モデル

　模擬患者参加型のシナリオは，演習の目的（学修目標）に沿って作成されています。同時に学生のレベル（学修状況）に適した内容に作成されています。学生は，これまで学んだ「積極的傾聴と共感」「系統的なインタビュー」「情報収集」「患者さんへの説明」「調整・マネジメント」などの視点で確認することが大切です。

　事例の設定についても，詳細かつ具体的に作成されています。時に，

その場で学生が独力で解決すべき（解決できる）課題設定であること，模擬患者に合わせた性格・役割などの設定に微調整が可能になっています。このことも理解して，学修することが大切です。

また，シナリオに必要不可欠なのが「解釈モデル」です。どんな人にも解釈モデルが存在することは第4章で学修しました（➡ 47頁）。解釈モデルを理解することは患者理解にとって必要不可欠です。したがって，シナリオでも解釈モデルがしっかり設定されています。解釈モデルを活用して学ぶことが大切です（篠崎ら，2010）。

模擬患者は，シナリオの提示だけではなく，演習の目的（学修目標），学生のレベル（学修状況），演習のタイムテーブル（演習全体の時間，セッションの時間，何回セッションをするのか），演習時のフィードバックの有無，また，フィードバックの視点・内容，演習時に必要な小物（寝衣，スリッパなど）についても細かく説明を受け，トレーニングしています。したがって，自分自身がこれまで学修した知識をいかしながら，シナリオを確認し，面接を体験することが大切になります。

2) セッション後のフィードバックと振り返り

技術教育において，リアルな演習とフィードバックは必須です（Dicksonら，1989）。先に述べましたが，看護教育において模擬患者がフィードバックをすることは，患者の心理を理解する点で効果があります。したがって，セッション後には模擬患者からのフィードバックが重要です。

セッション後のフィードバックは，以下の順序で行います。

- 実際に経験した学生が，振り返りを発表する
- 観察役の学生が，気がついたことなどをフィードバックする
- 教員（ファシリテーター）からのフィードバックを受ける
- 模擬患者のフィードバックを受ける

※教員と模擬患者のフィードバックの順は逆になっても良い

フィードバック時には，**ポジティブ，ネガティブ，ポジティブ**の順で発言するようにしましょう。これは，観察しているほかの学修者，模擬患者，教員（ファシリテーター）ら，フィードバックをする人すべてが共通して心がけることです。

模擬患者は，事実と感情をセットにしてフィードバックするようにトレーニングされています。たとえば，「Aさんが『お子さんのことはさぞかし心配でしょう』と声をかけてくれたので，『あ，この人にだったら相談できるかも』と感じました」というように，学修者の言動を具体的に示して，そのときに感じた感情をフィードバックします。

ファシリテーターは，学修目標に合わせてフィードバックを行います。

◆word 模擬患者さんのトレーニング

標準模擬患者の場合，同じシナリオを同時に複数の模擬患者が演じる場合もあります。また，同じ模擬患者が何回も同じように演じる場合もあります。いずれの場合も，何回やっても，何人で演じても同じように演じる必要がありますので，入念な準備とトレーニング・打ち合わせが必要です。

さらに効果的に学修を進めるためには，録画をして，のちに振り返りをすることが良いでしょう。そのとき，映像を3回見ることをお勧めします。1回目は，自分の姿を改めて見ることに照れがあるかもしれませんが，全体を流して見てください。2回目には，音声を絞ったうえで，自分の非言語的メッセージを確認します。このときに，自分の話をするときの癖などに気がつくことがあるでしょう。3回目は再度音声を聴きながら，自分と模擬患者の言語的・非言語的なメッセージを合わせながら，確認していきます。

　また，学修者へのフィードバックだけではなく，模擬患者に対しても演技へのフィードバックを行うと良いでしょう。

参考図書

シミュレーション教育
- 阿部幸恵(編著)．(2013)．臨床実践力を育てる！ 看護のためのシミュレーション教育．医学書院．
  シミュレーション教育は，技術教育においてとても重要な位置づけです。
  本書籍は，学修者中心の学びに必要な看護教育の理論と実践について述べられています。

事例で学ぶ医療コミュニケーション
- マーガレット・ロイド，ロバート・ボア／山内豊明(監訳)．(1996/2002)．事例で学ぶ医療コミュニケーション・スキル—患者とのよりよい関係のために．西村書店．
  基本的なコミュニケーションスキルのほか，情報提供や，良くない知らせの伝え方なども説明がなされています。さらに演習問題や，ガイドラインなどの付録もついています。

引用文献
- Barrows HS, Abrahamson S．(1964)．The programmed patient：a technique for appraising student performance in clinical neurology. Journal of Medical Education, 39, 802-805.
- Dickson DA, Hargie O, Morrow NC．(1989)．Communication Skills Training for Health Professionals：An Instructor's Handbook. Chapman and Hall, London.
- Maguire P, Fairbairn S, Fletcher C．(1986)．Consultation skills of young doctors：I-Benefits of feedback training in interviewing as students persist. British Medical Journal, 292(6535), 1573-1576.
- 日本医学教育学会医学医療教育用語辞典編集委員会(編)．(2003)．医学医療教育用語辞典．p292．照林社．
- 篠崎惠美子，渡邉順子，坂田五月ほか．(2010)．模擬患者による解釈モデルの説明が学生の看護アセスメントの認識に及ぼす影響．日本看護学教育学会誌，20(1)，49-61.

第9章 確認テスト

1. コミュニケーションのトレーニング方法を3つ述べなさい。

2. フィードバック時の原則を述べなさい。

解答 ▶ 139頁

第9章 看護面接のトレーニング

シナリオのねらい

患者から適切な医療情報を引き出すことが重要です。しかし，患者が意識していないことや，医療者と患者の認識のずれなどから，重要な情報が得られないこともしばしばあります。今回はその患者が重要だと認識していない情報を聞き出すことを目的としたシナリオです。

患者シナリオ

（このシナリオは看護師役には見せないでください）

事例1　目黒 麻衣／将司（めぐろ まい／まさし）さん　19歳

患者 ▶ 目黒 麻衣（将司）さん　19歳

場面設定 ▶ A大学の近くにある脳神経クリニックに，めまいのために相談にきた患者さんに看護師がインタビューをする場面です。

　あなた，目黒 麻衣（将司）は19歳の看護系大学2年生です。現在，実家を離れて大学の近くで一人暮らしです。

　3～6か月に1回，ひどいめまいがすることがありました。先日，何気なく見ていたツイッターで「めまいは脳卒中の前兆」というつぶやきを読みました。また，以前から母親から「うちの親族は脳卒中で倒れる人が多いから，食生活に気をつけなさいね」という話も聞いています。最近試験などが続き，インスタント食品やコンビニ弁当などを食べることが多く，食生活が乱れています。昨日は久々にひどいめまいがあり，数分動くことができませんでした。めまいは頭を動かしたときに数秒から数分持続します。嘔吐はしませんが，嘔気はあるような気がします。もしかしたら，脳圧が上がって，嘔気があるのではないか，1人でいるときに脳卒中になったらどうしようと思っています。しかし，この病院にははじめてかかります。こんなに若いのに脳卒中を心配しているなんてなかなか言えないと思っています。

　さあ，外来の看護師さんが，診察前のインタビューにきました。
　看護師さんのインタビューに答えてください。
　このシナリオにないことを聞かれたら，アドリブで答えてください。

ロールプレイ用シナリオ

看護師用シナリオ （このシナリオは患者役には見せないでください）

事例 1　目黒 麻衣／将司さん担当の看護師シナリオ

場面設定 ▶ A大学の近くにある脳神経クリニックです。あなたはそこに勤務する看護師です。

　これからインタビューをする患者さんは，目黒 麻衣(将司)さん19歳(大学2年生)です。
　初診の患者さんです。さて，医師の診察の前に，看護師としてインタビューをすることになりました。

　さあ，目黒 麻衣(将司)さんにインタビューしましょう。

疾患情報 ▶ 　突然現れるめまいのうち3〜5％は脳卒中を原因としています。その場合は，めまいだけでなく，頭痛，手足のしびれ，脱力感，言葉が出にくいといった症状を伴うことが多いです。
　今回は，良性発作性頭位めまい症の患者さんでした。良性発作性頭位めまい症は，特定の頭位をとることによってめまいが誘発されます。これは耳石が何らかの理由で半規管に入り込み動くことで，半規管を刺激してめまいが起こります。このめまいは，数秒から数分持続しますが，長時間続くことはありません。耳鳴りなどの症状もありません。

患者シナリオ （このシナリオは看護師役には見せないでください）

事例2　春田 優／優子(はるた まさる／ゆうこ)さん　19歳

患者 ▶ 春田 優(優子)さん　19歳

場面設定 ▶ B大学の近くのクリニックに，咳嗽のために相談にきた患者さんに看護師がインタビューをする場面です。

　　あなたは，春田 優(優子)19歳・大学1年生です。
　　1週間前から軽いが咳嗽が続いています。講義を受けているときも咳嗽をしたくなるので，できるだけ咳嗽を我慢していると，勉強に集中できません。今は大学の近くで一人暮らしをしています。大学近くのクリニックに受診しました。

　　発熱はしていません。息苦しさや，そのほかの症状はありません。自宅にいるときには，あまり気にならないのですが，大学での授業中には，咳嗽していると新型コロナウイルス（以下，COVID-19）のこともあり，友人たちになんて思われるかと思うと心配です。咳嗽しないように意識をすると，逆に咳嗽が出ます。
　　実は，10日ほど前に応募したチケットが当選し，あるテーマパークに出かけました。感染対策をして出かけたのですが，とても人が多く，一緒に出かけたほかの大学の友人は冗談で「こうやって感染していくのかも……」と言っていたのが気になっています。もしかしたら，テーマパークで感染してしまったのではないのかなと心配にもなります。しかし，咳嗽だけで発熱はしていないし，このことを言っていいのか，どうなのか迷っています。無症状の人もいるのでもしかしたら，もしかすると……と思っています。
　　発熱をしていないので，発熱外来ではなく，ふつうに受診しているけれど，COVID-19でないことをはっきりさせたい。でも，COVID-19のことを心配していると伝えてしまうと，普通に診察してくれないかもしれない。どのように伝えたらいいのか迷っています。

　　さあ，診療所の看護師に咳嗽のことを相談してください。
　　ただし，あなた〔春田 優(優子)さん〕は，COVID-19のことを心配していると伝えてしまうと，普通に診察してくれないかもしれないので，できれば，テーマパークに行ったことは内緒にしておきたいなと思っています。

　　このシナリオにない話を聞かれたら，アドリブで答えてください。

看護師用シナリオ （このシナリオは患者役には見せないでください）

事例2　春田 優／優子さん担当の看護師シナリオ

場面設定 ▶ B大学の近くにあるクリニックです。あなたはそこに勤務する看護師です。

これからインタビューをする患者さんは，春田 優(優子)さん19歳(大学1年生)です。初診の患者さんで，どうやら軽い咳嗽が続いているようです。熱はありません。

さあ，春田 優(優子)さんにインタビューしましょう。

疾患情報 ▶ 咳嗽とは，気道内に貯留した分泌物や異物を気道外に排除するための生体防御反応のことです。乾いた咳，空咳などといわれる痰がからまない乾性の咳嗽と，痰のからんだゴホゴホといった湿性の咳嗽があります。

咳嗽の原因には，風邪，インフルエンザ，気管支炎，気管支拡張症，肺炎，肺水腫，副鼻腔炎(ちくのう)，気管支ぜんそく，間質性肺炎，肺結核，気胸，肺がん，喫煙によるものや緊張などによる心因性のものがあります。

第9章 看護面接のトレーニング

患者シナリオ （このシナリオは看護師役には見せないでください）

事例3 沢尻 美咲／翔（さわじり みさき／しょう）さん　19歳

患者 ▶ 沢尻 美咲（翔）　19歳

場面設定 ▶ C大学の近くにある内科クリニックに，便秘のために相談にきた患者さんに看護師がインタビューをする場面です。

　あなたは，沢尻 美咲（翔）さん19歳・大学2年生です。
　小さいころから便秘傾向で，今も便秘傾向にあります。大学近くで一人暮らしなので，最近はひどくなったように感じます。ひどいときは，緩下剤を飲んで排便をします。しかし，緩下剤の調整がうまくいかないときは，逆に下痢になることもあります。サークルの合宿も1か月後に予定されているので，調整したいと思っていました。
　1週間ほど便秘が続き，けさトイレで排便がありました。排便時に便器を見たら，真っ赤になっていて，驚いて内科クリニックを受診しました。以前，看護学生の友人と話をしていたときに，大腸がんの人は便に血が混ざるから検便で発見されることや，大腸がんの患者さんは，下痢と便秘を繰り返すというような話を聞いたことを思い出し，もしかしたら自分もそうではないのかと心配になりました。しかし，便器が真っ赤になったことをどのように伝えたらいいのかわからず，「便秘」ということで受診をしようと思っています。いきなり，便器が真っ赤になったから受診する患者はいないのではないかと思うと，どうしてもそのことを言えないのです。
　実は便器が真っ赤になったときに，念のため，スマートフォンで写真は撮っています。でも，看護師にはできるだけ見せたくありません。もし，どうしてものときには覚悟を決めて見せようと考えています。

　さあ，クリニックの看護師に便秘について相談してください。
　このシナリオにない話を聞かれたら，アドリブで答えてください。

看護師用シナリオ （このシナリオは患者役には見せないでください）

事例3　沢尻 美咲／翔さん担当の看護師用シナリオ

場面設定 ▶ C大学の近くにある内科クリニックです．あなたはそこに勤務する看護師です．

　これからインタビューをする患者さんは，沢尻 美咲(翔)さん 19歳（大学2年生）です．
　初診の患者さんです．沢尻さんは便秘の相談のようです．さて，医師の診察の前に，看護師としてインタビューをすることになりました．

　さあ，沢尻 美咲(翔)さんにインタビューしましょう．

疾患情報 ▶ 便に血が混じる理由としては，以下のことが考えられます．
- 大腸や肛門からの出血
- 赤い食べ物が消化不良
- 内服薬による

　鮮やかな赤い出血の場合，大腸や肛門からの出血の可能性があります．放置すると貧血が進むことや，重大な疾患のリスクがあります．便秘や下痢，嘔吐，痛み，発熱，全身倦怠感や疲れ，残便感といった症状が出ることもありますので，大きな病気が潜んでいないかを確認する必要があります．

模擬患者(SP)によるセッション：シナリオ事例

学生用シナリオ（看護師）

患者 ▶ 沢 恵理さん　48歳　（昭和YY年YY月YY日生まれ）
患者ID　12345

場面設定 ▶ D病院の内科病棟に検査入院してきた患者さんのもとへ，看護学生であるあなたが看護面接とフィジカルイグザミネーションをする場面。

　　沢 恵理さんは48歳の主婦。夫と息子2人との4人暮らしです。
　　3年前に肺炎にかかり，その後，家事などをしていても呼吸が苦しくなることがありました。5か月前になんとなく受けた地域の健康診断の胸部のX線撮影で要精密検査となりましたが，しばらく放置していました。
　　保健センターから受診するように強く言われ，今回D病院を受診し，YY月YY日検査入院となりました。今日は入院の翌日です。

情報 ▶ 現病歴：3年前に肺炎
既往歴：特にない
家族歴：夫50歳，長男19歳，次男18歳との4人暮らし
職業：主婦
主訴：息苦しさ
診断名：慢性呼吸不全
治療方針：精密検査

SP用シナリオ

シナリオのねらい ▶ 患者の痛みや苦痛のアセスメントは，身体的側面からだけでなく，精神的側面からも痛みをアセスメントすることが重要です。

患者が痛みや苦痛を十分に表現できるよう，受容・共感すると同時に，看護師自身の感情に気づくことが必要となります。今回は，患者の痛みをしっかりと傾聴し，受容・共感することを目的としたシナリオです。

患者 ▶ 沢 恵理さん　48歳

場面設定 ▶ D病院の内科病棟に検査入院してきた患者のもとへ，看護学生が看護面接をする場面。

沢 恵理さんは48歳の主婦。夫と息子2人との4人暮らしです。

3年前に肺炎にかかり，その後，家事などをしても呼吸が苦しくなることがありました。

5か月前になんとなく受けた地域の健康診断の胸部のX線撮影で，要精密検査となりましたが，しばらく放置していました。しかし，保健センターから受診するように強く言われ，今回，いやいやD病院を受診。そこで「しっかり検査しましょう」と言われ，検査入院となりました。今日は入院の翌日です。

情報 ▶ 現病歴：3年前に肺炎，その後，ちょっと動くと呼吸困難が続くが放置。

5か月前に健康診断で胸部X線撮影の結果，受診を勧められ，先月中旬に受診。その結果，検査入院を強く勧められたため，義母の手術を終え落ち着いた昨日に入院した。

既往歴：特にない。

家族歴：夫50歳，長男19歳，次男18歳の4人暮らし。

両方の両親とも健在。夫の両親は近くに住んでおり，嫁姑の関係はうまくいっていなかった。そんなとき義母が転倒し，左大腿骨骨折のため先月に手術をしたところ。

夫は自営業。仕事人間で家族のことは私にまかせっきりである。

息子2人は今年大学受験である。長男は昨年浪人したので，今年こそは受かってほしい。

身長：YY cm　体重：YY kg

アルコール：付き合い程度

タバコ：20歳のときから吸いはじめたタバコはやめられない。1日15本程度。現在は少し息が苦しくなったから，8～10本程度に減ってい

る。何度か禁煙を試みたものの，息子のことやら，夫の仕事のことやら，姑のことなどいろいろストレスがあり，絶対にやめられない。

現在の状態：以前は，階段を急いで上るときや坂道など，ちょっとしたときに呼吸が苦しかっただけなのに，今ではスーパーで荷物をもって歩くと息が苦しいし，お風呂に入っていても息苦しさが増える状態である。暖かい場所では冷たい空気が吸いたくなり，窓を開けては，家族から「寒い」とクレームを言われていた。じっとしていると，呼吸は苦しくない。

性格：どちらかというと物事をネガティブにとらえるタイプである。友人も少なく，ストレス発散方法はタバコを吸うことしかない。ときどき感情が抑えられなくなり，爆発することも最近増えてきた。

職業歴：短大卒業後，デパートに勤務していた(21～24歳)。その後は夫の仕事である建設業(塗装業)をときどき手伝っている。

解釈モデル：【病気のこと】呼吸が苦しい理由は思いあたらない。自分もそんなに若くないのかしら，と感じている。最近少しのことでも息が苦しいので，何とかしたい，とは思うが，今は息子の受験や義母の世話，家族の世話などがあって，「どうして今の時期に入院なの！」と腹立たしく感じている。だいたい，少しくらいのことで保健センターも大げさだ。どうせ，「タバコをやめましょう」くらいの話ですむと思っている。

【今の自分のこと】だいたい，夫は自分の仕事のことばかりで，家族，特に息子のことも私に「なんとかしろよ」しか言わず，不満である。息子たちは息子たちで，まったく私の心配をよそにマイペースだし，見ているとイライラしてくる。

そんなときに，義母はいい歳なのに，DVDでエクササイズをしたために転倒して手術だし……。元気なときは「嫁としてもっとしっかりしなさい」とか，息子の受験のことなどでプレッシャーをかけてきて，嫁姑の関係は悪かった。ところが今では，「お世話になりますね」と頼ってくる。あ～，もうなんともやりきれない！！！こんなときに入院している場合じゃないのよ！！！

演じ方の留意点 ▶ 慢性呼吸不全はじっとしていたら呼吸困難にはなりません。しかし，今回は症状がかなり悪化している状況なので，少し話していると息が苦しくなります。

そんなときは，話をするのも，何をするのも「うっとおしい」と感じてしまいます。

沢 恵理さんは少し話をすると，しんどくなるので，「別に……」「別に……」となるべく長く話をしないようにしましょう。

解釈モデル

沢 恵理さん　48歳

　沢 恵理さんは48歳の主婦です。夫と息子2人との4人暮らしです。5か月前になんとなく受けた地域の健康診断の胸部のX線撮影で，要精密検査となりましたが，別にそんなにたいそうなことではないと思い，しばらく放置していました。しかし，保健センターから受診するように強く言われ，今回いやいやD病院を受診しました。そこで，医師からしっかり検査しましょうと言われ検査入院しました。

　以前は階段を急いで上るときや，坂道など，ちょっとしたときに呼吸が苦しいということはありましたが，今ではスーパーで荷物をもって歩くと息が苦しいし，お風呂に入っていても息苦しさが増える状態です。また，暖かい場所では冷たい空気が吸いたくなり，窓を開けては，家族から「寒い」とクレームを言われていました。でも，じっとしていると呼吸は苦しくはありません。呼吸が苦しい理由は思いあたりません。自分もそんなに若くないのかしら，と感じています。

　今回医師から指摘をされて，そう言われてみれば，最近少しのことでも息が苦しいので何とかしたいとは思いますが，今は2人の息子の受験があります。また，転倒し骨折した義母の世話や，家族の世話などがあって，「どうして今の時期に入院なの！」と腹立たしく感じています。また，保健センターに対しても「少しくらいのことで大げさだ。どうせ，『タバコをやめましょう』と言われるくらいのことでしょう」と思っています。

　夫は自分の仕事のことばかりで，家族，特に息子のことも恵理さんに「なんとかしろよ」しか言わず，不満が募っています。息子たちはまったく母親の心配をよそにマイペースで，見ているとイライラしてしまいます。

　義母も，元気なときは「嫁としてもっとしっかりしろ」だとか，息子の受験のことなどでプレッシャーをかけてきて，嫁姑の関係は悪かったのに，骨折したとたん「お世話になりますね」と頼ってきます。そのため，「あ～，もうなんともやりきれない！！！　こんなときに入院している場合じゃないのよ！！！」と不機嫌な沢 恵理さんです（参照イラスト➡104頁）。

（ここからは全体へのフィードバックをしましょう）

第3部

高度なコミュニケーション

第10章 高度なコミュニケーション
―臨地実習で遭遇する事例をもとに―

> **学修目標**
> - ☐ 臨地実習で遭遇するコミュニケーション困難な状況で，どのように対応したらよいかを考えることができる
> - ☐ 臨地実習で遭遇するコミュニケーション強化が必要な状況で，どのように対応したらよいのかを考えることができる

1 臨地実習で看護学生が遭遇するコミュニケーション困難な状況

患者さんとのコミュニケーションには，それぞれの特徴があります。臨地実習では，このことを踏まえて患者さんとコミュニケーションをとることが大切です。本章では，臨地実習で遭遇する可能性があるコミュニケーションが困難な状況について紹介します。

1）ネガティブな発言

看護学生が患者さんのネガティブな発言に困惑する場面は，以下のような場面があります。

- 脳梗塞後などのリハビリに一生懸命に取り組んでいるが，成果が思うように出ていない患者さんから「私はこれ以上リハビリを続けても，良くならない」とか，「こんな身体だったら死んだほうがまし」などの言葉を言われる
- がんの告知後の患者さんから「このまま死ぬのかしら」「私って死ぬの？」「死んだらどうなるのかしら」など，予後について悲嘆する言葉を言われる
- 慢性疾患などの患者さんから「おいしいものを食べられない生活ってつまらないよね」「こんなに制限されてやっていられない」などの言葉を言われる

上記のようなネガティブな発言を突然耳にすると，ドキッとするかもしれません。しかし，患者さんとじっくり向き合うことが大切です。もし，困惑していたら，深呼吸をして気持ちを落ち着かせて対応しましょう。

たとえば、ベッドで臥床している場合なら、椅子に腰かけしっかり患者さんの顔を見ます。このことで、「じっくり話を聴きますよ」というメッセージを相手に伝えることができます。そして、患者さんの発言した言葉を繰り返します。ここでは、どんなにネガティブな感情であっても、いったん受け入れるのです。**患者さんの感情に対して、良し悪しの評価や、励まし、アドバイスは不要です**。まずはそのまま受け入れることが大切です。そして、「なぜそう思うのですか」「もっと今思っていることをくわしく話していただけませんか」と焦点を絞った促しを行い、患者さんに自由に語ってもらいます。そして、NURS を活用します（→71 頁参照）。ネガティブな発言をするとき患者さんは、慰めや助言がほしいとは思っていません。今抱えている問題や不安、恐怖などの感情を共有してほしいと考えているのです。したがって、積極的傾聴をすることがとても重要です。

患者さんが自分の思いを語ることができたら、そのように感じることについて理解を示し、患者さんの状況を賞賛するように認め、一緒に問題について考えていこう、対応していこうという支持を示します。

看護師　「今回の入院の目的はなんですか？」

患　者　「死ぬために入院しました」

看護師　「（椅子を引き寄せ、患者の顔と向き合い）死ぬために？　どうしてそう思うのですか、よろしければ少しくわしく話してください」

患　者　「胃がんと診断されてから自宅で療養をしていました。このところ食事もほとんど食べられないし、身体も思うように動かせないのです」

看護師　「（うなずきながら聴く）」

患　者　「家族は昼間仕事をしているのでトイレに行くのも苦労をしています。身体のあちこちが痛くて、ついつい家族にあたってしまうこともあるのです……」

看護師　「それはつらかったでしょうね」

患　者　「今日も家族と少し言い争いになって、『もうみんなの世話にはならない、入院する』といって入院となったのです。もうこんな身体では家には帰れないと思っています」

看護師　「そうですか、○○さんはご自宅には帰れないと思っていらっしゃるのですね」

患　者　「はい……」

看護師　「そうだったのですね。○○さんの今の状態でしたら、そう思われるのもわかります」（NURS：理解・正当化）

> 「ご自宅で思うように身体が動かない中で，よくがんばられましたね。ご家族も大変でしたよね」(NURS：尊敬・賞賛・承認)
>
> 患　者　「はい……」
> 看護師　「もう入院されましたので，これからは医師や看護師が○○さんの入院生活をサポートします。少しでも良くなるように一緒にがんばっていきましょう」(NURS：支持・協力)

　患者さんの状況によっては，患者さん自身が自分の疾患についてどのくらい理解しているのかを確認します。

2) 見てはいけないものを見てしまった

　たとえば糖尿病の患者さんなど，食事制限のある患者さんが，食べてはいけないものを食べていた場面や，禁煙が必要な患者さんが喫煙しているのを見てしまった場合など，見てはいけないものを見てしまったときどうしますか？　心の中で「しまった，見てしまった」と感じながら見て見ぬふりをしますか？　このような場面でも，看護学生として適切な対応をとる必要があります。

　まずはいつもと同じ態度で接します。決して食べていたことや喫煙していたことをとがめてはいけません。患者さんは，食べてはいけないこと，喫煙してはいけないことを承知しています。「してはいけないことをとがめられた」という気持ちにならないようにします。

　そして，良し悪しの判断をすることなく，患者さんの気持ちについて受け入れます(受容)。さらに共感の言葉や，NURSを活用します。

> 患　者　(おまんじゅうを食べている)
> 看護師　「あら，○○さんおまんじゅうですか？」
> 患　者　「……(気まずそうにしている)」
> 看護師　「おまんじゅう好きですか？　おいしそうですね」
> 患　者　「好きなのです。食べていけないこともわかっているのです」
> 看護師　「おまんじゅうがお好きだからついつい食べてしまったのですね」(NURS：理解・正当化)
> 患　者　「はい……」
> 看護師　「そうですよね。やっぱり好きなものは食べたいですよね」
> 患　者　「ええ，我慢していたのですが，やっぱり」
> 看護師　「○○さんが食事制限をがんばっていたのは，よくわかっていますよ。がんばって我慢されていましたよね」(NURS：尊敬・賞賛・承認)

> 患　者　「……」
> 看護師　「○○さんのカロリー制限の中で，お好きなものを食べることができるように，どうしたらいいか一緒に考えてみましょう。今回のことは主治医にも相談していいですか？」
> 患　者　「はい。お願いします」

　会話の中でさりげなく，ごみ箱やベッド周囲を観察し，患者さんが何をどのくらい摂取したのかを観察します。そして看護師や医師に報告し，患者さん自身が納得して実行できる治療計画へと，可能な範囲で変更できるようにします。

3）患者からの申し出を断る

　臨地実習では，患者さんと良いコミュニケーションがとれると，患者さんからも感謝されることが多くあります。このような場面では，時折お礼の品を渡される場合もあります。学生として実習を受講していますので，当然，それらを受け取ることは不適切です。以下のように，患者さんの気持ちを踏みにじることなく断ることが大切です。

　まずは，患者さんに感謝の気持ちを伝えます。患者さんが自分を信頼し，認めてくれたことを喜び，その気持ちに感謝していることを，本人にしっかりと伝えます。次にルールとして受け取れないことを説明します。実習学生であり，「金品を受け取らない」ように指導されていること，病院（大学）の方針として「金品を受け取らない」という方針があることを説明します。もし，それでもだめなときは，指導教員に相談します。

> 看護学生　「○○さんがそれほど感謝してくださって，看護学生としてお役に立てたことがとてもうれしく，ありがたいです。ですが，大変申し訳ありませんが，実習の規則としてこちらを受け取ることはできません。お気持ちだけ受け取らせていただきます。本当にありがとうございました」

4）患者のペースに引き込まれてしまう

　患者さんによっては，話をすることが大好きで気がつくと患者さんのペースで会話が進むことや，質問した内容について非常に詳細に答えてくれる口数の多い患者さんもいます。

　この場合は，まずこちらの目的を伝えます。何のために，どのような話を聞きたいのかを患者さんに伝えます。そして患者さんのペースに

引き込まれた場合は，さえぎりを入れて丁寧に会話を中断させたり，「〇〇さんのお仕事についてはよくわかりました。話を先ほどの頭痛について戻させていただいてもよいですか？」などと焦点を絞り直したりして会話をもとに戻します。話が別の方向に進んだ場合も，会話にさえぎりを入れて話題を変えていきます。患者さんによっては，「話をしたい」という欲求もありますので，この場合は別の機会にじっくり話をしていただく時間を設けます。

具体的には，下記のように伝えると良いです。

> **看護師** 「〇〇さんと続けてお話ししたいと思います。今は××のために失礼いたしますが，後ほど改めてうかがいます」

2 臨地実習で看護学生が遭遇するコミュニケーション強化が必要な状況

患者さん自身のコミュニケーション強化が必要な場合は，言語障害，視覚障害，聴覚障害や認知障害などがあります。このような患者さんとコミュニケーションをとる場合は，事前にカルテなどから情報をある程度入手してから行います。コミュニケーション時には，これまで学んだように患者さんとより良い関係を構築することや，コミュニケーション時の心地良さなどを意識して行うと良いでしょう。

患者さん自身が何らかの理由でコミュニケーションがうまくとれなかったとき，社会的に隔たりを感じる場合もあります。そして困惑，苛立ちなどの感情を抱くことになります。そのような感情を抱かせないようにコミュニケーションをとることが大切です。

1）言語障害（失語症）や構音障害がある患者

言語障害（失語症）は，言葉が出てこない状態や相手の内容が理解できない状態です。また，構音障害はろれつがまわらない状態です。

言語障害の場合は，疎外感や孤独感，苛立ちや焦りなどを感じることが多いようです。

具体的には，以下のように対応します。

- ゆっくり，短く，わかりやすい言葉を使用する
- ふつうの声の大きさで話し，決して大きな声では話さない
- 繰り返し，漢字や単語，絵，写真，実物などを活用する
- 話が進まないことにイライラしない
- 具体的に伝える

- メッセージを伝えたあとは，理解できたかを確認する
- 閉ざされた質問を活用する（➡ 52 頁参照）
- 相手が言葉につまっているときや，言葉を間違えたときに言い直さない

　構音障害の場合は，文字盤，コミュニケーションボード（よく使う単語を集約したボード，イラストで示したボード），コミュニケーションノート，意思伝達装置などのコミュニケーションツールを活用します。また，具体的には以下のようにします。

- 伝えたい内容を絞りこむために，閉ざされた質問を活用する（➡ 52 頁参照）
- 書字を活用しながら進める
- 短く，ゆっくり言葉を伝えてもらう
- 聞き取れなかった場合，わかったふりをしない

　言語障害（失語症）や構音障害のほかに，気管切開がなされていてうまく発音ができない患者さんがいます。その場合でも，構音障害のある患者さんとのコミュニケーション同様に，文字盤やコミュニケーションボードを使用します。ただし，患者さんにとって，筆談やそのほかの道具を使用して行う長い文章の会話や長時間にわたるコミュニケーションはとても疲れます。したがって，一度に多くの会話をするのではなく，短時間の会話を重ねることが良いでしょう。

> **Column　アドヒアランスと行動変容モデル**
>
> 　アドヒアランスとは，服薬や食事制限などの治療について，医療者から指示されたことを忠実に従うというよりも，患者自身が主体的に自分の医療について責任をもって治療法を守ることを意味します。生活習慣の変更はとても困難です。プロチャスカら（1994/2005）は，行動変容のための超理論的モデル（transtheoretical model）を提唱しています。患者さんは，①無関心期，②関心期，③実行期，④維持期の 4 つの段階を経てノンアドヒアランスからアドヒアランスへ状態変化することが示されています。

2）視覚障害のある患者

　視覚障害のある患者さんの場合，言語でのコミュニケーションが可能ですが，私たちが普段無意識に出している合図などを活用することができません。しかし，視覚障害のある患者さんは，その患者さん自身が特別な方法をもっている場合があります。視覚障害のある患者さんは，目で感じることができなくても，気配などを敏感に感じ取ることができま

す．どのように患者さんが感じているかについて指導者から情報を得ると良いと思います．また，視覚障害の方は，何かこちらに対して要望をもっていることがあり，その要望を確認することで，良いコミュニケーションにつながります．要望の確認からコミュニケーションを開始するのも良い方法です．また，視覚障害のある患者さんとコミュニケーションをとる場合，ラジオの感覚を意識して，いろいろな場面で説明を加えると良いでしょう．

3）聴覚障害のある患者

聴覚障害のある患者さんとのコミュニケーションでは，できるだけ静かな場所で，顔が見えるように近づきます．つまり，話をはじめる前に患者さんの視界に入ります．まずどんな話をするのか事前に話題を伝えます．そして口の動きが良く見えるように，ゆっくりとはっきり，ふつうの声の大きさでジェスチャーを交えながら話します．できるだけ，短い文章で，文節ごとに区切ります．

またその患者さんに合わせて手話，筆談，補聴器，読話などの伝達手段が異なりますので，その方法を確認してから会話に入ります．

難聴の高齢者の場合，聞こえていなくてもあいづちをする場合もありますので，重要なメッセージは相手に理解されたかを確認するようにします．

4）認知障害のある患者

認知障害にはさまざまな問題があり，コミュニケーションが難しいと感じる場面も多いです．認知障害のある患者さんは，知覚や話をすることはできますが，理解力や判断力が低下しているため，スムーズな会話という点では難しいです．患者さん自身も，周囲とどう対話すれば良いのかわからず，困惑したり不安感を抱きやすくなります．しかし重要なことは，患者さんの人間性を尊重することです．コミュニケーションをとるときには，本人の今までの生活習慣やリズム，嗜好や習慣，教育的な背景，職業などのすでにある情報をまず見直し，患者さん自身を理解しておくことが重要です．これらの内容がコミュニケーションのきっかけとなる場合が多いです．

具体的には以下のことに気をつけます．

- 同じ目線で話す
- 環境を整える
- 言葉だけではなく，非言語的メッセージ（表情，言葉の抑揚，ジェスチャーなど）を活用する
- 簡潔明瞭な言葉をゆっくりと話す

- 患者さんの表情や動作など非言語的メッセージに注意しながら理解できたかを確認する
- 患者さんを1人の人として尊重した態度と言葉かけをする(子ども扱いをしない)
- 言葉の使い方や,スピード,雰囲気,表情などの非言語的メッセージで雰囲気を感じ取ることがしやすいように会話を進める

コミュニケーション強化が必要な状況では,患者さんとの対話を避けることや,患者さんが伝えようとしている内容を憶測するのではなく,患者さんに合わせたコミュニケーション方法を活用します。患者さんを1人の人として尊重した態度で,話しかけを続けます。そして患者さんの理解を適時確認しながら進めていきます。

> **Column 私の話を聞いてください　Loving each other**
>
> 葉っぱのフレディの著者でもあるブスカリア博士は米国の教育学者でした。彼の著作にこの詩が掲載されています(Buscaglia, 1984/1986)。
> 「私の話を聞いてください,と頼むとあなたは助言を始めます。私はそんなことを望んでいないのです。
> 私の話を聞いてください,と頼むとあなたはその理由について話し始めます。申し訳ないと思いつつ,私は不愉快になってしまいます。
> 私の話を聞いてください,と頼むとあなたはなんとか私の悩みを解決しなければならないという気持ちになります。おかしなことにそれは私の気持ちに反するのです。
> 祈ることに慰めを見出す人がいるのはそのためでしょうか。神は無言だからです。助言したり,調整しようとはしません。神は聞くだけで悩みの解決は自分にまかせてくれます。
> だからあなたもどうか黙って私の話を聞いてください,話をしたかったら,私が話し終えるまで少しだけ待ってください。そうすれば私は必ずあなたの話に耳を傾けます」(日本語訳を翻訳者の許諾を得て転載)

引用文献
- Buscaglia LF./林真理子,相原真理子(訳).(1984/1986).Loving each other.講談社.
- Prochaska JO, Norcross JC, DiClemente CC./中村正和(監訳).(1994/2005).Changing for Good./チェンジング・フォー・グッド―ステージ変容理論で上手に行動を変える.法研.

第10章 確認テスト

1. ネガティブな発言があった場合の対応を述べなさい。

2. 臨地実習で遭遇するコミュニケーション強化が必要な相手をあげなさい。

解答 ▶ 139頁

第11章 多職種連携とコミュニケーション

> **学修目標**
> - ☐ 多職種間のコミュニケーションで重要なことを述べることができる
> - ☐ 看護師間でのコミュニケーションで重要なことを述べることができる
> - ☐ 医師とのコミュニケーションで，アサーティブなコミュニケーションが重要であることがわかる
> - ☐ アサーティブなコミュニケーションに必要なことを述べることができる

1 医療における多職種間のコミュニケーション

　患者さんにより良い医療を提供するためには，看護師だけではなく，医師，薬剤師，栄養士，理学療法士，医療ソーシャルワーカー，介護支援専門員（ケアマネジャー）など多様な専門職のかかわりが必要です。各専門職は，自分の専門の知識と技術で患者さんへのケアにかかわります。このように，多様な専門職が患者さんに関する情報を共有し，各自の役割に基づいて適切にケアを提供することを多職種連携といいます。多職種連携では，多様な専門職が他職の専門性を理解して連携し，チームとして医療を提供します。多職種連携は，病院や福祉施設に限らず在宅医療・看護においても必要となります。

　一方，チーム医療とは「医療に従事する多種多様な医療スタッフが，おのおのの高い専門性を前提に，目的と情報を共有し，業務を分担しつつも互いに連携・補完し合い，患者の状況に的確に対応した医療を提供すること」と厚生労働省（2010）は定義しています。医療技術の進歩に伴う専門分化により，医師が良い臨床判断をしても，チーム医療が機能しなければ，質の高い医療を提供することができません。したがって，この多職種連携においては，さまざまな専門職とのコミュニケーションが重要です。

　しかし，専門職間での人間関係が決して良好ではないという報告もあります（Northouse & Northouse, 1985）。専門職間では，それぞれの役割ストレス（役割矛盾と役割荷重），専門職間の理解不足（お互いの専門

職としての職務と専門知識の理解不足)，自治権を巡る争い(自己統治と自己決定の自由)が効果的なコミュニケーションを妨げているといわれています。また，特定の専門職による支配により，地位の高い医療者と地位の低い医療者のコミュニケーションが妨げられているともいわれます。看護師が把握した患者さんの情報を他職種へ十分に情報共有できていないという報告(小路ら，2008)や，看護師と医師などが互いの職域を侵さないという意識をもつため，情報交換の不全をもたらす(山内，山内，2000)という報告もあり，情報が他職種と十分に情報共有できていない現状があります。多様な職種間のコミュニケーション，つまり集団間でのコミュニケーションを促進するためには，「(患者さんに良い医療を提供するという)同じ目的をもつ同じ集団である」と認識することが重要です(早瀬ら，2011)。

山内(2004)は，患者さんの情報共有のコミュニケーションは医療者にとって「したほうが良い」というものではなく，基本となる仕事であるとはっきり述べています。

医療者間でのコミュニケーションを効果的に行うことは質の高い医療の提供において必須です。したがって，それぞれの専門職が自分たちの専門性を理解するだけでなく，①他職種の専門性も理解し，②お互いが共通の認識をもち，③お互いを尊重しコミュニケーションをとることが必要です。どのような場合でもそうですが，相手の立場を思いやることや，相手本位のコミュニケーションを心がけることが重要です。

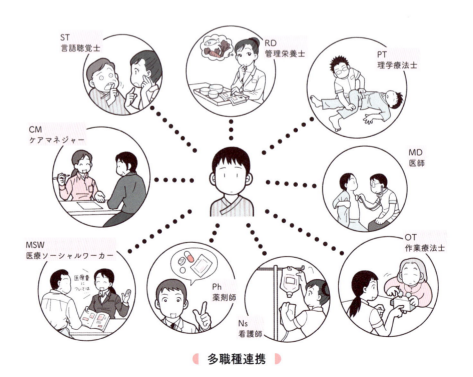

◀ 多職種連携 ▶

2　看護師間でのコミュニケーション

　患者さんは，看護師のチームワークが良好であると安全で(事故やインシデントがなく)，良質なケアを受けることができます。そのことにより，看護師自身は仕事に対する意欲や職務満足度が高まり，看護の質に良い影響を与えることが報告されています(Amosら，2005；高山，竹尾，2009)。反対に職場における人間関係がバーンアウトの一因であるという報告(田尾，久保，1996)や，上司や同僚との接触がバーンアウトに影響を及ぼす(Leiter & Maslach，1988)という報告もあります。したがって，看護師間でのコミュニケーションは重要です。そのためには，先輩，同僚，後輩に関係なく，挨拶をする，約束は守る，ちょっとした気配りなどを継続することが重要です。このことを実践するためには，どんなに忙しい中であっても，話す機会を設けることや，常に相手の立場になって考えることが必要です。その結果が良好なコミュニケーションにつながります。

3　医師とのコミュニケーション

　患者さんとかかわる他職種の中で，看護師にとって最もかかわりが強いのは医師でしょう。これまでに看護師と医師間におけるコミュニケーションの問題に関する研究は多くなされてきました。看護師と医師の関係は歴史的にみると，「医師に看護師が従属する」階層的慣習がありました(Ashley，1997/2002)。徐々にこの関係は変化してきていますが，看護師と医師の協働の障壁は，いまだに多く存在するともいわれています(宇城，中山，2006)。一方で看護師と医師の良いコミュニケーションは，看護師と医師の両者の満足度を増加させることや，看護師と医師の協働の重要性などが報告されています(Baggs & Schmitt，1997)。看護師と医師が協働するためには，看護師のアサーティブネスと自律性が重要であるともいわれています(長澤，2001)。アサーティブネスとは「自己主張」を意味しますが，相手の権利を侵害せずに，誠実に，率直に対等に自分の意見や要求を述べることです。具体的な方法は後述します。
　宇城，中山(2006)は，看護師と医師の協働を促進するために同僚や先輩，上司からのサポートや，医師とのフォーマルなコミュニケーションの機会が必要と述べています。したがって，看護師が医師とのカンファレンスなどで，看護の立場からアサーティブに主張することが重要です。
　看護師として医師とコミュニケーションをとる場合も，患者さんとの

コミュニケーションと同様に，相手を尊重しながら，聴き出すように心がけると良いでしょう。そのときに，相手の性格などにも配慮した対応ができると良いでしょう。

> **Column　利用者と家族を支える介護支援専門員**
>
> 介護支援専門員（ケアマネジャー）は，要支援・要介護者が適切な介護サービスを受けられるように利用者・家族からの相談にも応じて解決策の提案や情報提供などを行います（8頁参照）。資格の取得には，介護支援専門員実務研修受講試験に合格し，研修を受講・修了したのちに介護支援専門員として登録され資格証が交付されることが必要です。介護保健施設，地域包括支援センターなどで業務を行っています。

4　医療者間でのコミュニケーション

医療者間でのコミュニケーションでは，些細な言動から信頼関係が崩れないように注意することが大切です。医療者間でのコミュニケーションでは，以下のことをお互いに心がけると良いでしょう。

- 相手の自信やプライドを損なう言動は避ける
- 注意・指導などは他人の前ではしない（患者・家族の前では絶対にしない）
- 相手の話（言い分）も聴く
- 事実の確認をまずはじめに行い，否定・批判をはじめにはしない
- 質問を受け入れる
- 「自分が」という言葉は避ける
- 事実の確認後に善悪を評価し，ネガティブなことから伝えるのではなく，ポジティブ-ネガティブ-ポジティブの順に伝えていく

5　アサーティブなかかわり

先に述べたように，アサーティブは「自己主張」の意味ですが，攻撃的な自己主張のことではありません。アサーティブについて「自分の要求を明らかにし，他者を尊重していれば，そのスタイルはアサーティブになる」ともいわれています。アサーティブであることは，患者さんや，看護師間，他職種との関係を良くするために必要です。

表2にアサーティブとそうでないコミュニケーションスタイルを示します。

表2 3つのコミュニケーションスタイルの特徴

アサーティブ	ノンアサーティブ（受身的・非主張的）	アグレッシブ（攻撃的）
私もOK，あなたもOK	あなたはOK，私はOKでない	私はOK，あなたはOKでない
自分で意思決定する	誰かに選択してもらう	他人にかわって自分が選択
リラックスした姿勢	背を丸めた姿勢	両手を両腰，仁王立ち
温かいまなざし，アイコンタクト	伏し目がち，涙目，悲嘆的なまなざし	無表情，冷淡，目を細める
相互に尊重	他者から軽視，イライラされる	他者は傷つけられる，屈辱的に感じるなど不快に感じる
自信があり，落ち着いて見える	逃げる，屈服する	威圧的，攻撃的

＊アサーティブなコミュニケーションのほか，アサーティブでないコミュニケーション（ノンアサーティブ，アグレッシブ）スタイルがあります。

　アサーティブなコミュニケーションは，学習しなければ習得できません。アサーティブなコミュニケーションは具体的には以下のことが必要です。

- **自分と他者の権利を守りながら，自分の要求や考えを表現するためにさまざまなコミュニケーションのためのスキルを習得する**
- **前向きな態度である**
- **不安や緊張，恐れなどをコントロールでき，気持ちが安定している**
- **他者を尊重しつつ，自分も尊重できる自信をもつ**
- **自分も他者も両者に権利があることを十分に認識している**

次に，アサーティブなコミュニケーションの例を示します。

1）相手と異なる意見がある場合

　アサーティブなコミュニケーションでは，「しかし」「でも」「だけども」「ただし」などのbutを示す言葉ではなく，「そして」「さらに」「しかも」「それと」などのandを示す言葉にすると良いとされています。前者の言葉（but）は，相手がその言葉で身構えてしまうため，異なる意見などの場合は，避けることで相手を尊重しつつ，自己主張をすることができます（Bernt & Evans, 1992）。

2）相手の要求を断る場合

　応答のはじめに「ノー（いいえ）」と断りの言葉をいいます。相手に明確に直接的な答えを示します。
　次に，断る理由を簡潔に伝えます。そのうえで，相手の要求を理解したことをフィードバックします。さらに，断りのプロセスでは，丁寧にかつ穏やかに話すことが大切です。

たくさんの言い訳をすること，言葉を濁すこと，躊躇するなど自信のない態度，落ち着きのなさや不安な様子を出してはいけません。また，感情的になってもいけません。

アサーティブなコミュニケーションを実践するためには，お互いの知識が共有できるレベルが必要です。そのためには，看護師として常に新しく正しい専門的な知識を追求する姿勢が重要です。

大切なことは，他職種との良好なコミュニケーションが，患者さんへの質の良いケアにつながる，ということです。

> **参考図書**
>
> **コーチングスキル**
>
> コーチングとは，対話によって相手の自己実現や目標達成に導く技術です．医療分野に限らずビジネスの世界でもコーチングスキルは活用されています．
>
> コーチングについてはさまざまな書籍が出ています．一読してみると良いでしょう．
>
> - 諏訪茂樹．（2021）．看護にいかすリーダーシップ 第3版―ティーチングとコーチング，場面対応の体験学習．医学書院．
> - 柳沢厚生（編），日野原万記，井原恵津子，清野健太郎ほか（著）．（2003）．ナースのためのコーチング活用術．医学書院．
> - 奥田弘美．（2012）．ナビトレ スマ子・まめ子とマンガで学ぶ新人・後輩指導コーチング超入門―セルフサポートチェックノート付き．メディカ出版．

引用文献

- Amos MA, Hu J, Herrick CA, et al. (2005). The impact of team building on communication and job satisfaction of nursing staff. Journal for Nurse in Staff development, 21(1), 10-16.
- Ashley JA.(編)/日野原重明(監訳)，山本千沙子(翻訳)．（1997/2002）．Jo Ann Ashley Selected Readings. Jones and Barlett Publishers, Inc./看護の力 女性の力―ジョアン・アシュレイ論文・講演選集．日本看護協会出版会．
- Baggs JG, Schmitt MH. (1997). Nurse's and resident physicians' perceptions of process of collaboration in MICU. Research in Nursing & Health, 20(1), 71-80.
- Bernt IM, Evans RL. (1992). The Right Words : The 350 Best Things to Say to Get Alomg with People. Warner Books, New York.
- 早瀬良，坂田桐子，高口央．（2011）．誇りと尊重が集団アイデンティティおよび協力行動に及ぼす影響―医療現場における検討．実験心理学研究，50(2), 135-147.
- 厚生労働省．（2010）．チーム医療の推進について．http://www.mhlw.go.jp/shingi/2010/03/dl/s0319-9a.pdf
- Leiter MP, Maslach C. (1988). The impact of interpersonal environment on burnout and organizational commitment. Journal of Organizational Behavior, 9(4), 297-308.
- 長澤利枝．（2001）．患者の問題解決へ向けた他職種とのかかわりにおける看護師の発言および行動の特性．看護管理，11(1), 47-52.
- Northouse PG, Northouse LL. (1985). Health Communication A Handbook for Health Professionals. p95, Prentice-Hall, Inc.
- 小路ますみ，小森直美，藤岡あゆみほか．（2008）．看護職・他部門間のコミュニケーション・リスクの構造．福岡県立大学看護学部紀要，5(2), 61-65.
- 高山奈美，竹尾惠子．（2009）．看護活動におけるチームワークとその関連要因の構造．国立看護大学校研究紀要，8(1), 1-9.
- 田尾雅夫，久保真人．（1996）．バーンアウト理論と実際―心理学的アプローチ．誠信書房．
- 宇城令，中山和弘．（2006）．病院看護師の医師との協働に対する認識に関連する要因．日本看護管理学会誌，9(2), 22-30.
- 山内桂子．（2004）．エラー回復のために―患者参加型の取り組み．看護，56(2), 60-61.
- 山内佳子，山内隆久．（2000）．医療事故：なぜ起こるのか，どうすれば防げるのか．朝日新聞社．

第11章 確認テスト

1. アサーティブに必要なことを5つ述べなさい。

2. 医療者間のコミュニケーションで配慮すべき点を述べなさい。

解答 ▶ 139頁

第12章 患者家族とのコミュニケーション

学修目標
- 医療現場における家族の役割・影響を述べることができる
- 家族とのコミュニケーションで重要なことを述べることができる
- 患者さんの情報の取り扱いについて述べることができる

1 患者と家族の関係

　医療現場において患者さんとのコミュニケーションはもちろんのこと，患者さんの家族とのコミュニケーションも大切です。

1）医療現場における家族の役割・影響

　欧米には家庭医療 family practice や家族中心のモデル family centered model が存在し，家族全体を対象としたケアが行われています。家族の健康と病気は家族にとって大きな影響力を示すという報告（Campbell, 1986）のように，健康に関する信念や行動は家族の中で形成され，維持されていきます。たとえば，食生活，運動習慣，喫煙などの行動はそれぞれの家族の中で形成されます。家族は患者さんの健康に関する信念や行動だけではなく，病気への対処能力，治療コンプライアンスにも影響を及ぼすという報告もあります（Aaronson, 1989；Mannesら, 1993）。

　家族の関係（夫婦関係，親子関係など）は，健康状態に大きな影響を与えます。つまり，健康問題や病気は，患者さん個人だけに影響するのではなく，家族や親せきにも影響を及ぼします。家族は，家族の誰かが病気になることで，不安や緊張をもち，相当なストレスが生じることがあります。このことは，患者さんと同等の問題を抱えることになります。そのため，看護師は患者さんのみを対象とするのではなく，患者さんの家族もケアの対象とする必要があります。しかし，さまざまな調査から，家族が医療者から支援を受けているとはいえない現状があります（Hampe, 1975；Northouse, 1988）。家族は患者さんの治療において不可

欠な存在です。家族は，医療者が積極的に家族全体を支援することで，医療者と協力して患者さんを支えることができます。このためには，家族と良好なコミュニケーションをとることが大切です。

家族は，患者さんへのケア提供者としての役割もあります。特に地域・在宅看護においては，家族の存在は重要です。自宅での療養においては，主たるケアの提供者は家族です。そのため，家族への働きかけをすることで，自宅において家族を介して患者さんへ間接的に働きかけをすることが可能になります。たとえば，看護師が高齢の患者さんに付き添ってきた家族へ，内服についての説明をする場面です。さらに，実際的なケアだけではなく，心理・社会的な側面への働きかけも可能です。

また，家族は重要な情報源となります。家族歴はもちろんのこと，家族関係における患者さんの考え方や，現時点での家族のストレスなど，患者さんから得られなかった情報も得ることができます。そして可能であれば，家系図を作成することも有効です。家族に関する情報をわかりやすくまとめることができます〔具体的な内容は書籍『事例から学ぶ地域・在宅看護論』(篠崎，藤井，2021)を参照してください〕。

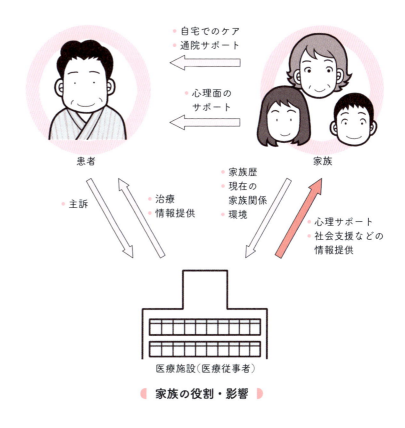

◀ **家族の役割・影響** ▶

2) 患者・家族間コミュニケーションの中断への対応

　家族と患者さんはお互いに影響しあっています。つまり，病気の発症によって，家族内の役割の崩壊，家族間のコミュニケーションの中断といった問題が発生します。

　家族の中にストレスがかかっているときには，家族間のコミュニケーションが途切れることがあります。先述（➡ 126 頁）しましたが，患者さんにとって家族は治療において不可欠な存在です。家族間のコミュニケーションが途切れることで，家族の役割が効果的に果たせなくなります。

　患者さんを中心にお互いを守ろうとする家族間でのいたわりあいが，コミュニケーションを中断する原因となります。このコミュニケーションの中断は，患者さんにとっては，孤独感，孤立感，隔離された感覚を味わうことになります。患者さんと家族のコミュニケーションの中断を改善するためには，家族のメンバーが，家族内で築かれてきた暗黙のルールを確認し，必要時に変更するようにします。さらに，医療者はコミュニケーションが維持できるように家族を支援することが必要です。

2　患者の家族とのコミュニケーション

　患者さんの家族とのコミュニケーション時には，患者さんは誰を「家族」と認めているのか，キーパーソンは誰かを確認する必要があります。家族の形態はさまざまです。血縁関係のない人や同性のパートナーなどを家族やキーパーソンだと認めている患者さんも存在します。医療者の勝手な思い込みで判断することは避けましょう。

　具体的にどのように患者さんの家族とコミュニケーションをとるのかを以下に説明します。

1) 家族からの情報入手

　患者さんの家族とコミュニケーションをとる場合には，良好な人間関係を築くことが重要です。患者さんとは良好な信頼関係が構築できていても，家族とは関係が構築できていないことが多くあります。その場合，家族は疎外感をもち傍観者という立場をとることもあります。したがって，患者さんと家族が同席している場合は，患者さんに挨拶をしたのち，家族にも挨拶と自己紹介をすることからはじめます。

　次に患者さんに同意を得て，家族に話しかけます。看護面接には，最初から患者さんの家族も参加するように設定します。家族とのコミュニケーションで重要なことは，家族への敬意を伝え，家族の意見を尊重す

ることです。

複数の家族が同席する場合は，座る位置（患者に対しての位置と医療者に対しての位置）から，患者へのケアの度合いなどを推察します。さらに患者さんと家族の関係について質問することで，キーパーソンを確認します。もし，特定の家族が一方的に話をするようであれば，適切にさえぎりを入れて，ほかの家族が話すことができるように促します。また，家族間での対立が生じる恐れのある場合は，問題点を明確にするために訊くことや，家族全員で協力することが，患者さんにとって最良の方法であることを強調します。

患者さんの家族から，患者さんおよび家族の解釈モデルや，これまでの健康に関する情報，患者さんが現在抱えているストレス，活用できる資源などを家族から情報を得ることはケア計画を立てるうえで有効です。

2）家族への情報提供

家族への情報提供をする場合，誰に何を伝えるのかが重要です。伝える情報は患者さん自身のものです。医療倫理綱領では，治療においては患者以外の何者にも情報を明らかにしないということが義務として記載されています。また，わが国ではプライバシーを憲法が保障しており，幸福追求権の1つである人格権があります（船越，2001）。そして，自分の情報が他者に収集，管理，利用されること，開示の有無の制限といった「自己情報コントロール権」や「情報プライバシー」という権利も存在します（井部&中西，2014）。したがって患者さんの情報を扱う場合，情報保護◆と倫理の側面から慎重に行う必要があります。

具体的には，患者さんに事前に共有する情報の内容と共有する目的や必要性を説明し，患者さんから同意を得たうえで家族へ情報を提供します。

家族への情報共有は，医学的情報を提供する場合が多くあります。検査の結果や，治療方針の共有などがありますが，深刻な情報（bad news）を伝えることもあります。家族に情報共有する場合は，家族が患者さんの病気についてどのように理解し，どのような信念や心配な点があるのかをまず確認します。家族の理解度に合わせて情報提供の方法を考慮することが大切です。

家族へ提供する情報は，患者さんに同意を得て決定します。しかし，状況によっては例外があります。たとえば，患者さんが感染症で，事前に情報を伝えておかないと家族内に有害事象が起こる可能性がある場合です。

患者さんが他者へ伝えたくない情報，秘密にしたい情報の取り扱いで

◆word 個人情報保護

個人情報の保護に関する法律は2003年に成立しました。この法律は，個人情報の適正な取り扱いのために，国あるいは民間の個人情報取り扱い事業者の責務について定められています。それを受けて厚生労働省は「医療・介護関係事業者における個人情報の適切な取扱いのためのガイドライン」を公表しています。2005年には日本看護協会が「看護記録および診療情報の取り扱いに関する指針」を公表しています（日本看護協会，2006）。適切に取り扱いができるようさまざまなガイドラインを確認することも重要です。

留意することは以下のとおりです。

- 患者さんに，伝えたくない情報を確認すること
- 法律的（公衆衛生関連法規など），倫理的（医師倫理綱領，看護師倫理綱領など）配慮の視点で問題となるか考えること
- 患者さんと情報を伝えないことによる利益と不利益，伝えないことで起こりうる結果を考えること
- 誰には情報を伝えてよいのか，誰には伝えてはいけないのか，またその内容について，患者さんに確認すること

患者さんとその家族と良好なコミュニケーションをとるためには，適切な情報を的確に伝えることが大切です。

参考図書

家族看護

家族看護とは，一単位としての家族を看護の対象としてとらえ，看護をすることです。患者さんにとっては家族は切り離せない存在でありますので，患者さんと家族を切り離して看護をするのではなく，家族全体を看護の対象とします。現在では家族看護に関する書籍も多く出版されています。鈴木和子，渡辺裕子（著）『家族看護学―理論と実践，第5版』（日本看護協会出版会，2019）では家族看護の理論とその実践への活用について述べられています。

引用文献

- Aaronson LS.（1989）．Perceived and received support：Effects on health behavior during pregnancy. Nursing Research, 38(1), 4-9.
- Campbell TL.（1986）．Family's impact on health：a critical review. Family Systems Medicine, 4(2-3), 135-228.
- 船越一幸．（2001）．情報とプライバシーの権利―サイバースペース時代の人格権．p23，北樹出版．
- Hampe SO.（1975）．Needs of the grieving spouse in a hospital setting. Nursing Research, 24(2), 113-120.
- 井部俊子，中西睦子（監修）．（2014）．看護管理学習テキスト5看護情報管理論，第2版．p30，日本看護協会出版会．
- Mannes SL, Jecobesen PB, Garfinkle K, et al.（1993）．Treatment adherence difficulties among children with cancer：The role of parenting style. Journal of Pediatric Psychology, 18(1), 47-62.
- 日本看護協会（監修）．（2006）．新版看護者の基本的責務―定義・概念/基本法/倫理．日本看護協会出版会．
- Northouse LL.（1988）．Social support in patient's and husbands' adjustment to breast cancer. Nursing Research, 37(2), 91-95.
- 篠崎惠美子，藤井徹也．（2021）．事例から学ぶ地域・在宅看護論 訪問時のお作法から実習のポイントまで．医学書院．

第12章 確認テスト

1. 医療現場における家族の役割・影響を4つ述べなさい。

2. 家族とのコミュニケーションで重要なことを5つ述べなさい。

解答 ▶ 140頁

第13章 新たな時代のコミュニケーション

学修目標
- ☐ ディスプレイを介したコミュニケーションが患者さんの満足度を下げる原因を考えることができる
- ☐ ディスプレイを介したコミュニケーション時に配慮する点を列挙できる
- ☐ 1対1以外のコミュニケーション時に注意すべき点を列挙できる

1 ディスプレイを介したコミュニケーション

◆word **ICTとIOT**

ICT（Information and Communication Technology：情報通信技術）とは，通信技術を活用したコミュニケーション技術のことで，クラウド技術，通信速度の向上により発達した技術です。よく似た言葉にIOTがありますが，IOT（Internet of Thing）とは，物自体がインターネットにつながっているものを指します。4G時代では通信速度の関係で送受信できなかった情報が5Gの到来でさまざまな物（たとえばスマート家電・スマートハウス・自動車など）がインターネットにつながり管理できるようになります。4G・5Gとは通信規格のことで，ポケットベルが使用されていた無線時代，アナログ無線電話の1G，1993年から2000年までは2Gの携帯電話時代でした。2001年からは世界基準ができ，3Gとなり，2012年からスマートフォンなどの4G時代

　看護を展開するうえで必要となるものに「カルテ」があります。このカルテについても2001年の「保健医療分野の情報化にむけてのグランドデザイン」（最終提言：厚生労働省，2001）により電子カルテの普及が推進され，医療現場での普及率は上昇しています（藤井，篠崎，2021）。電子カルテは，医療者と患者さんが情報を共有できることや，診察においては時間の短縮などのメリットがあります。このため，ますます医療・介護の現場においてもICT◆の活用は推進されることが予想されます。

　一方で，患者さんからは「医療者がパソコンばかり見ていて，自分の顔を見ていない」と言った声も聞こえるようになりました。米国医師会の研究グループの外来での患者の対面時間を調査した研究報告において，外来の担当医は，患者と向き合う時間の2倍近くを電子カルテの入力やデスクワークに費やしていることが報告されています（Sinskyら，2016）。これは看護師が行う看護ケアにおいても同様のことが起きていると推測されます。看護師もベッドサイドに行く際に，電子カルテをカートにのせて行き，その場で患者さんから得られた情報を入力することもあるでしょう。またリスクマネジメントシステムとして，与薬時などの際に携帯情報端末（personal digital assistant：以下PDA端末）◆を用いて，患者リストバンド，薬剤などのコードをスキャンし照合することもあります。このように医療の現場において電子カルテやPDA端末といった情報機器を活用する場面はますます多くなることが予想されます。しかしパソコンを見ながらのコミュニケーションやITを用いたコ

となりました。5Gになると4Gに比べて、通信量と通信速度が圧倒的に違いますので、ますますICTの活用が進むことになります。

◆word 携帯情報端末

personal digital assistantまたはpersonal data assistant：PDA端末。PDAとは、携帯できる手帳サイズの情報端末のことです。インターネットに接続することができ、情報を入力・出力することができる端末です。医療現場においては、バーコードとPDAを活用して、ケア実施時に情報確認と記録を行うことに活用されています（詳細は引用文献『看護情報学第3版』、p109を参照）。

ミュニケーションは、患者さんにとって、会話のしやすさという点で満足度を低下させるという報告があります（工藤、2007）。

したがって、ディスプレイを介したコミュニケーション時には、患者さんのコミュニケーションの満足度を低下させないような配慮が必要となります。具体的には、以下のことに配慮します。

① 患者さんが話しているときは、ディスプレイを見るのではなく、患者さんのほうに視線を向けます。これは患者さんの言語的メッセージだけではなく、非言語的メッセージをキャッチするためにも重要です。

② 電子カルテに入力するとき、PDA端末を操作するときは、話をしながら操作しないようにします。電子カルテを使用せずに、メモをとる場合と同じです。特に、マスクをして、電子カルテなどの機器を操作しながら会話をすると声が聞こえにくいことがありますので、**「話を聴く」「話をする」「操作する」**、これらは同時に行わないよう心がけましょう。

③ 踏み込んだ内容や、ネガティブな内容の話をする場合は、電子カルテなどを部屋に持ち込まないようにします。ディスプレイなどがあると、患者さんは少し距離を感じてしまうことがあります。コミュニケーションの障壁となるものに「位置と距離（➡ 33頁参照）」があります。機械などがあることで、看護師との心の距離を感じさせてしまう可能性があります。またパソコン操作などに手間取ると、会話が中断してしまうこともあります。このことから、電子カルテやPDA端末などの機器も、コミュニケーションの際には患者さんと看護師の環境の中に含まれることを意識すると良いでしょう。

◀ 患者さんは満足しているか？ ▶

2　1対1以外のコミュニケーション

最近の病院内看護における新しい看護方式として，Partnership Nursing System（以下，PNS®）を採用する施設が増えています。PNS®とは，2009年に福井大学医学部附属病院で開発された新しい看護方式です。看護師2人で1組のペアとなり，双方の受け持ち患者に関する情報交換を行いながら二人三脚で看護を進めていくシステムです。患者さんのもとへ看護師2人で訪室することでコミュニケーションが密になり，十分な情報収集が可能になることや，1人の看護師が患者さんと会話をしながら観察した内容を，もう1人の看護師（パートナー）がその場で看護記録に記載することができます。また，看護師の超過勤務の削減やインシデント報告件数の減少などのメリットが報告されています。患者満足度を調査した報告においても，自分の状態を2人の看護師で確認してもらえるという安心感などが報告されています（鬼形ら，2016；村田ら，2014）。

その一方で，精神科の看護など，患者-看護師の1対1のラ・ポール◆の成立をめざす場合においては，患者さん1人に対し看護師2人の3人の人間関係においては，1対1のときと比較して，ラ・ポールの成立に時間を要することなども報告されています（鈴木ら，2014）。

PNS®での看護場面に限らず，患者さんと複数の看護師，もしくは複数の医療者でのコミュニケーションの場面はあります。医療者にとっては，中心人物は患者さん1人なのですが，いずれの場合であっても，患者さんにとっては，1対多数です。スーパーなどで何かを購入しようとするとき，似たような商品がたくさんあると購入する物を決定するのに時間がかかった経験をしたことがありませんか。決定できなければ，購入することをあきらめてしまう場合もあるかもしれません。このような選択肢が増えることは，患者さんにとってストレスとなります。患者さん1人に対し，2人の看護師や多数の医療者とのコミュニケーションの場面においては，患者さんにとっては入ってくる情報が増えます。つまり前頭葉で処理しなくてはいけない情報が増えることになり，いつ誰に向かって話をしたら良いのかなどマルチタスクな状態◆になります。そのため，1対1以外のコミュニケーションの場面では以下のことに注意をしましょう。

- 患者さんの位置，また話をする人の立ち位置や座る位置を考慮します（➡34頁参照）。その際できるだけ，主となって話をする人が，患者さんにとって話しやすい位置になるようにします。
- PNS®の場合は，事前にパートナーと相談し，主として話をする看

◆word　ラ・ポール

もともとは臨床心理学の用語で，セラピストとクライアント相互の信頼関係が成立している，心的融和状態を表す言葉です。すなわち人間対人間の関係の確立を意味します。

◆word　マルチタスクな状態

マルチタスク（multitasking）は，複数の作業を同時にもしくは短期間に並行して切り替えながら実行することです。たとえば，ながら運転や，ながら学習などもマルチタスクな状態になります。このマルチタスクな状態が続くと，注意不足，作業効率や生産性の悪化，エラーにつながることが報告されています。
［文献：Schacter DL, Gilbert DT, Wegner DM.（2011）. Psychology（2nd Edition）. New York：Worth.］

護師と，記録や観察をする看護師と役割分担をすることも1つの方法です。その際，記録や観察をする看護師は，主として話をする看護師よりも離れた位置で行うと，患者さんがどこを見て話をしたら良いのか迷うことがなくなります。
- 会話中は，患者さんが情報を処理できるよう，また話をするタイミングを終始考えて行います。

◀ 患者さんのストレスにならない配慮を ▶

引用文献
- 藤井徹也，篠崎惠美子．(2021)．医療における情報．中山和弘(著者代表)．系統看護学講座 別巻 看護情報学．第3版．pp94-97，医学書院．
- 工藤直志．(2007)．電子カルテの機能と特徴―CMCとの対比から．臨床文化の行方―医療の標準化と臨床文化．平成16年度〜平成18年度科学研究費補助金・基盤研究(C)研究成果報告書．159-171．
- 村田美穂，酒井則子，辻美佐枝ほか．(2014)．看護に関する患者の満足度調査―PNSの患者満足度への影響．日本看護学会論文集．看護管理．44，208-211．
- 鬼形聖子，清水みどり，田中浩之ほか．(2016)．PNS導入における患者満足度への効果．看護研究交流センター 地域課題研究報告．(27)，63-66．
- Sinsky C, Colligan L, Li L, et al. (2016). Allocation of Physician Time in Ambulatory Practice：A Time and Motion Study in 4 Specialties. Annals of Internal Medicine, 165(11)：753-760.
- 鈴木善博，眞野恵子，大塚靖代．(2014)．新看護方式パートナーシップ・ナーシング・システム導入．精神科看護．41(10)，53-65．

第13章 確認テスト

次の文を読んで正しいものに○をつけなさい。

（　　）電子カルテを使用するときは，時間短縮のために，話を聴きながら入力する

（　　）PDA端末は看護師がケアを行う際に使用するため，環境の中に含まれる

（　　）電子カルテの誤操作防止のために，患者さんとの会話中であっても，ディスプレイを見ながら患者さんの話を聴く

（　　）PNS®の場合，2人で1人の患者さんを担当するので，役割を決めて立ち位置を検討する

（　　）PNS®の場合，タイミングよりも正確な情報収集を優先する

解答 ▶ 140頁

確認テスト 解答

序章

1. 医療に対して，エビデンスに基づく医療，患者さんの求めに応じた情報提供，入念な医療安全対策，患者さんの視点を尊重した医療，医療機関の機能分化などを国民が求めたため
2. ① 医療が人間の「生命」に直接かかわっている
   ② 医療現場では，患者さんは感情的に負の状況にある
   ③ 医療は人が直接触れ合う，人中心の現場である
3. ① 患者さんとはじめて出会う場面
   ② 情報収集の場面
   ③ 看護介入の実施時および評価時
   ④ 多職種連携の場面（チームでの協働の場面）

第1章

1. 「伝える側と伝えられる側のインタラクティブ（双方向）なプロセス」など
2. ①情報発信者 / ②情報受信者 / ③内容 / ④チャンネル（メディア）/ ⑤文脈
3. 情報発信者（伝える側，送り手）の伝えたい内容がメッセージとして発信され，情報受信者（伝えられる側，受け手）がそのメッセージの意味の解釈を行い，情報発信者へフィードバックすることでコミュニケーションは成立する
4. ① コミュニケーションは過程（プロセス）である
   ② コミュニケーションはインタラクティブ（双方向）の交流である
   ③ コミュニケーションは多面的である

第2章

① 服装 ……………………………………（ 非言語的 ）コミュニケーション
② 書き言葉 ………………………………（ 言語的 ）コミュニケーション
③ 視線 ……………………………………（ 非言語的 ）コミュニケーション
④ 話し言葉 ………………………………（ 言語的 ）コミュニケーション
⑤ 身体の動き ……………………………（ 非言語的 ）コミュニケーション
⑥ 文字盤を使用してのメッセージ ……（ 言語的 ）コミュニケーション
⑦ 声のリズム ……………………………（ 非言語的 ）コミュニケーション
⑧ 手の動き ………………………………（ 非言語的 ）コミュニケーション
⑨ 壁の色 …………………………………（ 非言語的 ）コミュニケーション
⑩ 手話 ……………………………………（ 言語的 ）コミュニケーション

確認テスト 解答

第3章

1. ① 環境要因，② 人的要因，③ 機能障害，④ 位置と距離
2. ① 事実の交流，② 感情の交流，③ 理解の交流，④ 関係の交流
3. ① コミュニケーション時に，4つの交流(事実・感情・理解・関係)がなされるように意識して行うこと
   ② コミュニケーションに影響する要因(環境要因・人的要因・機能障害・位置と距離)を意識的に整えること

第4章

1. (解答例) 看護の対象となる人の話に耳を傾け，良好なコミュニケーションをはかりながら，対象と一緒に看護問題について考えていく過程(看護の目的に沿って，対象に関する情報の一連のやりとりの過程)。ここでは，耳を傾け(よく聴き)，良好なコミュニケーションをはかりながら，一緒に考えるという言葉がキーワードである。
2. ① 診断的意義，② ケア的意義，③ 教育的意義
3. 良好な看護面接には，患者中心のプロセス(面接)と医療者中心のプロセス(面接)を統合することが重要
4. 患者さんのニーズにあった看護を提供するために，看護師の視点からとらえるのではなく，患者さんの視点から情報を収集することが必須であるため

第5章

1. ① 反映(繰り返し，オウム返し)
   ② 言い換え(要約，まとめ)
   ③ 反映(繰り返し，オウム返し)
   ④ 沈黙
   ⑤ 中立的発言(あいづち)
2. ① 閉ざされた質問
   ② 閉ざされた質問
   ③ 開かれた質問
   ④ 開かれた質問
   ⑤ 開かれた質問

第6章

1. 患者の話をじっくり聴くこと
   人間尊重の態度に基づき，相手の話を徹底的に聴くこと
   患者の言語的および非言語的なメッセージに注意をはらい，意味をもたせること，など
2. 共感は客観性を保ちながら(自分を失わず)，他人が感じることを自分のこととして感じようとする(他人の側から相手の身になる)ことである。一方，同情は，相

手を同一視し，自分の側から他人の気持ちや感情を推し量ろうとすることである。共感はあくまでも「相手の側から」，主体は相手にあるが，同情は「自分の側から」，主体は自分にあるという点で異なる。
3. ① 同情
　　② 共感

第7章

1. ① naming　感情の命名，ラベリング
   ② understanding　理解・正当化
   ③ respecting　尊敬・賞賛・承認
   ④ supporting　支持・協力
2. 開かれた質問と関係構築の技法（感情探索の技法，表出された感情に対応する技法）

第8章

（解答例）
① こんにちは。私はA大学看護学部1年生の○○です。（自己紹介）
② Cさん，お名前をフルネームで教えてください。（患者さんの名前の確認）
③ 今日は，患者さんとコミュニケーションをとる実習でうかがいました。今から，20分ほどCさんに入院についていろいろとお話をうかがいたいのですが，よろしいでしょうか？（目的と時間を告げ，了解を得る）
④ その姿勢で良いですか？　もし，体調が悪くなりましたら，遠慮なくおっしゃってください。（安楽の確認・配慮）

第9章

1. ロールプレイ，模擬患者，バーチャル患者
2. ポジティブ-ネガティブ-ポジティブの順に述べる

第10章

1. 第7章「3 表出された感情に対応する技法」➡ 71頁を参照する。
   NURSを活用して対応する
2. 言語障害（失語症）や構音障害のある患者さん，視覚障害のある患者さん，聴覚障害のある患者さん，認知障害のある患者さん

第11章

1. ① 自分と他者の権利を守りながら，自分の要求や考えを表現するためにさまざまなコミュニケーションのためのスキルを修得する
   ② 前向きな態度である

③ 不安や緊張，恐れなどをコントロールでき，気持ちが安定している
④ 他者を尊重しつつ，自分も尊重できる自信をもつ
⑤ 自分も他者も両者に権利があることを十分に認識している

2.
- 相手の自信やプライドを損なう言動は避ける
- 注意・指導などは他人の前ではしない（患者・家族の前では絶対にしない）
- 相手の話（言い分）も聴く
- 事実の確認をまずはじめに行い，否定・批判をはじめにはしない
- 質問を受け入れる
- 「自分が」という言葉は避ける
- 事実の確認後に善悪を評価し，ネガティブなことから伝えるのではなく，ポジティブ-ネガティブ-ポジティブの順に伝えていく

第12章

1. ① 自宅でのケア提供者
   ② 通院サポート
   ③ 心理・社会面サポート
   ④ 情報源（家族歴，家族関係，家族のストレスなど）
2. ① 患者さんは誰を「家族」と認めているのか，キーパーソンは誰かを確認する
   ② 家族への敬意を伝え，家族の意見を尊重する
   ③ 情報収集の内容は，患者さんおよび家族の解釈モデルや，これまでの健康に関する情報，患者さんが現在抱えているストレス，活用できる資源などである
   ④ 家族との情報共有時には患者さんに事前に共有する情報の内容と共有する目的や必要性を説明し，患者さんから同意を得たうえで行う
   ⑤ 情報共有については，法律的（公衆衛生関連法規など），倫理的（医師倫理綱領，看護師倫理綱領など）配慮の視点で検討する

第13章

（×）電子カルテを使用するときは，時間短縮のために，話を聴きながら入力する
（○）PDA端末は看護師がケアを行う際に使用するため，環境の中に含まれる
（×）電子カルテの誤操作防止のために，患者さんとの会話中であっても，ディスプレイを見ながら患者さんの話を聴く
（○）PNS® の場合，2人で1人の患者さんを担当するので，役割を決めて立ち位置を検討する
（×）PNS® の場合，タイミングよりも正確な情報収集を優先する

索引

和文

あ行

あいづち　36, 81
アグレッシブ　123
アサーティブ　122, 123
アサーティブネス　121
アドヒアランス　115
アナムネーゼ聴取　40
位置と距離　33
医療者中心の面接　44, 81, 82
インタラクティブ　13, 15, 16, 29
促し　53
うなずき　36, 54
オウム返し　55
オープニング　46, 50, 51, 77, 93

か行

解釈モデル　47, 52, 81, 94, 95, 107, 129
家族看護　130
家族中心のモデル　126
家族歴　85
家庭医療　126
環境要因　30
関係構築の技法　52, 67, 82
関係の交流　29
看護介入分類　60
看護過程　7, 42
看護面接　43, 44, 76
患者中心の看護面接　43, 46
患者中心の面接　83
患者満足度　37, 46, 134
感情移入　61
感情探索の技法　67, 69, 82
感情の交流　29
間接的な探索　70
キーパーソン　85, 128, 129
既往歴　84
機能障害　33
基本的感情　24, 67

共感　60-65, 72, 80
共感的態度　44
繰り返し　54, 55, 80
クロージング　85, 86, 93
携帯情報端末　132, 133
傾聴　44, 64
健康問題　84
言語化　67
言語障害　114
言語的コミュニケーション　21, 26
構音障害　114
行動化　67
行動変容モデル　115
コーチング　124
個人情報保護　129
コミュニケーション
　——に影響する要因　29
　——の障壁　30, 51, 79, 133
コミュニケーションスタイル　122, 123
コミュニケーションモデル　13

さ行

座席行動　34
シェアリング　91
ジェスチャー　23, 116
視覚障害　115
事実の交流　29
システムレビュー　85
失語症　114
質問技法　52
社会歴　84
小集団コミュニケーション　20
情報受信者　15, 16
情報発信者　15, 16
人的要因　31
生活歴　84
生物医学モデル　44
生物心理社会モデル　44
セカンドオピニオン　46
積極的傾聴　60, 63, 64, 68, 72, 80

セルフコミュニケーション　20
ソーシャルネットワークサービス　3
組織内コミュニケーション　20

た行

対人コミュニケーション　20
多職種連携　7, 41, 119
チーム医療　119
中立的発言　53, 54
聴覚障害　116
直接的な探索　69
沈黙　53, 81
同情　60-62
ドクターショッピング　46
閉ざされた質問　52, 53, 115

な行

ナラティブ　74
認知障害　116
ノンアサーティブ　123

は行

バーチャル患者　93
反映　53, 55
反復　80
非言語化　67
非言語的コミュニケーション　22, 24, 26
非言語的促進　53, 54
表出された感情に対応する技法　67, 71
開かれた促し　55
開かれた質問　52, 80
フィードバック　15, 29, 89, 91, 95, 123
負の状態　5
プライバシー　30, 50, 129

ま行

マスコミュニケーション　20
マルチタスクな状態　134
密接距離　34
メラビアンの法則　26
模擬患者　91

や・ら行

要約　53, 56

ラ・ポール　134
理解の交流　29
ロールプレイ/ロールプレイング　90

数字・欧文

1対多数のコミュニケーション　20
7-38-55のルール　26
closed question　52, 83
family practice　126
ICT　132
IOT　132
Leary モデル　13
Naming　71
non-verbal communication　21
NURS　71, 80, 82, 111, 112
NURSE　71
open ended question　52, 80
Partnership Nursing System（PNS®）　134
PDA端末　132, 133
Respecting　72
Shannon Weaver モデル　13
SMCR（Berlo）モデル　13
social network service：SNS　3
SP　91
Supporting　72
Understanding　71
verbal communication　21

人名

エンゲル　45
オスラー　43, 65
クラインマン　47
ダーウィン　22
チャールトン　47
トラベルビー　5, 13
ノースハウス　13
バードウィステル　26
ハンプトン　44
ブスカリア　117
メラビアン　26
リップス　61
ロジャーズ　60